EN CONTEXTE

A2

EXERCICES DE GRAMMAIRE

Anne Akyüz

Bernadette Bazelle-Shahmaei

Joëlle Bonenfant

Marie-Françoise Orne-Gliemann

hachette

FRANÇAIS LANGUE ÉTRANGÈRE

Nous avons fait notre possible pour obtenir les autorisations de reproduction des documents publiés dans cet ouvrage. Dans le cas où des omissions ou des erreurs se seraient glissées dans nos références, nous y remédierons dans les éditions à venir.

Conception graphique
Couverture : Christophe Roger
Intérieur : Eidos

Suivi éditorial
Olivier Martin

Réalisation
Mise en pages : Mediamax

Enregistrements audio, montage et mixage
QUALI'SONS (David HASSICI)

ISBN : 978-2-01-401633-8

© Hachette Livre 2019
58, rue Jean Bleuzen, CS 70007, 92178 Vanves Cedex
www.hachettefle.com

MODE D'EMPLOI

La notion grammaticale travaillée

Des objectifs fonctionnels pour utiliser la langue en situation de communication

Des tableaux synthétiques avec un code couleur pour réviser les règles

Des exercices audio pour travailler la grammaire à l'oral

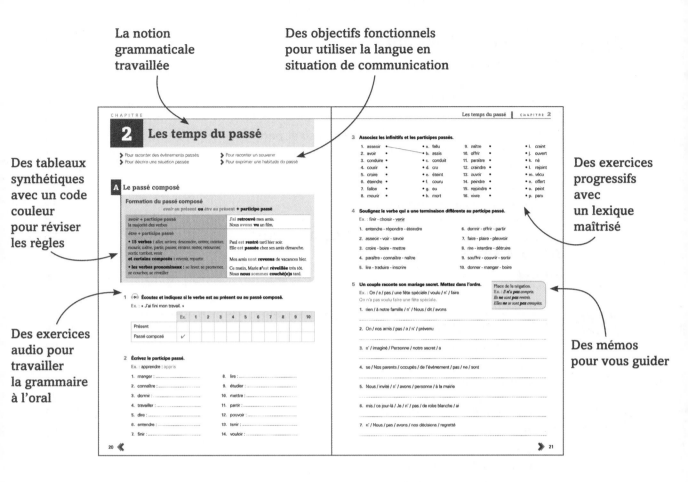

Des exercices progressifs avec un lexique maîtrisé

Des mémos pour vous guider

Des bilans en fin de chapitre

Les corrigés et les transcriptions des exercices audio

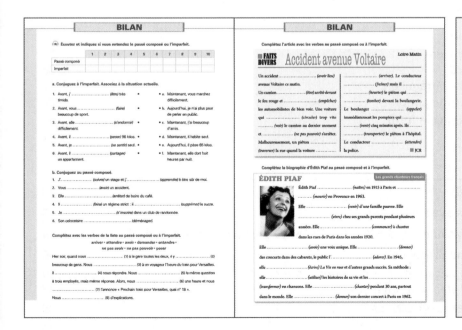

SOMMAIRE

Le présent de l'indicatif

❯ Pour dire ce que l'on fait
❯ Pour informer sur une chose ou une personne

❯ Pour décrire des comportements
❯ Pour exprimer une habitude

A Les verbes en -ER

Formation régulière

Infinitifs	Exemples
travailler	Je **travaille** dans un bureau.
étudier	Tu **étudies** les mathématiques.
crier	Il/Elle/On **crie** fort.
aimer	Nous **aimons** discuter avec des amis.
jouer	Vous **jouez** au basket.
oublier	Ils/Elles **oublient** l'heure du rendez-vous.

1 Soulignez la forme correcte.

Ex. : Elle _danse_ / _danses_ le tango.

1. Nous _écoutons_ / _écoutez_ de la musique.

2. Tu _regardes_ / _regarde_ la télévision.

3. Il _chantent_ / _chante_ dans une chorale.

4. Elles _jouent_ / _jouons_ du piano.

5. Je _joue_ / _joues_ aux échecs.

6. Vous _collectionne_ / _collectionnez_ les bandes dessinées.

7. Ils _dessinons_ / _dessinent_ des portraits.

2 Écrivez la terminaison correcte.

Ex. : Il est infirmier, il soigne les malades.

1. Ma tante est employée, elle travaill............... dans une banque.

2. Nous sommes mécaniciens, nous répar............... les voitures.

3. Elles sont assistantes maternelles, elles gard............... des enfants.

4. Je suis hôtesse d'accueil, je renseign............... les visiteurs.

5. Vous êtes responsable commercial, vous cherch............... des clients.

6. Tu es professeur, tu enseign............... la couture.

7. Elle est guide touristique, elle accompagn............... les touristes.

Formation irrégulière

Verbes en *-cer* commencer, placer	On écrit **ç** avec *nous*	nous commen**ç**ons, nous pla**ç**ons
Verbes en *-ger* manger, voyager	On garde le **e** avec *nous*	nous mang**e**ons, nous voyag**e**ons
Verbes en *-eler* et *-eter* appeler, épeler, jeter	**-ll** ou **-tt** avec *je, tu, il/elle/on,* *ils/elles*	j'appe**ll**e, tu épe**ll**es, ils je**tt**ent
Verbes en *-eter, -érer, -ever* acheter, préférer, espérer, lever	**-e/é** devient **-è** avec *je, tu, il/elle/on,* *ils/elles*	il ach**è**te, ils esp**è**rent, on l**è**ve
Verbes en *-ayer, -oyer, -uyer* payer, essayer, envoyer, essuyer, s'ennuyer	**-y** devient **-i** avec *je, tu, il/elle/on,* *ils/elles*	j'essa**i**e, tu envo**i**es il s'ennu**i**e, elles pa**i**ent
	2 formes possibles pour les verbes en *-ayer*	j'essa**i**e/j'essa**y**e
Verbe ALLER	je vais, tu vas, il/elle/on va, nous allons, vous allez, ils/elles vont	

3 **Deux professeurs décrivent le comportement de leurs élèves. Conjuguez au présent.**

– Alors, comment sont tes élèves cette année ?

– Une catastrophe ! Ils ne travaillent *(travailler)* pas, ils n'⎯⎯⎯⎯⎯ **(1)** *(étudier)* pas

leurs leçons, ils ⎯⎯⎯⎯⎯ **(2)** *(oublier)* leurs affaires, ils ⎯⎯⎯⎯⎯ **(3)** *(jouer)*

aux cartes dans la classe. Ils m'⎯⎯⎯⎯⎯ **(4)** *(appeler)* par un surnom,

ils me ⎯⎯⎯⎯⎯ **(5)** *(tutoyer)*. Et dehors, ils ⎯⎯⎯⎯⎯ **(6)** *(crier)*,

ils ⎯⎯⎯⎯⎯ **(7)** *(jeter)* leurs livres par terre, c'est terrible ! Et les tiens ?

– Des élèves modèles ! Ils me ⎯⎯⎯⎯⎯ **(8)** *(respecter)*, ils m'⎯⎯⎯⎯⎯ **(9)**

(aider), ils ⎯⎯⎯⎯⎯ **(10)** *(nettoyer)* le tableau à la fin du cours. Et ils me ⎯⎯⎯⎯⎯ **(11)**

(remercier). Vraiment, nous ⎯⎯⎯⎯⎯ **(12)** *(communiquer)* très bien ! Alors,

quelquefois, je les ⎯⎯⎯⎯⎯ **(13)** *(emmener)* voir une exposition. J'⎯⎯⎯⎯⎯ **(14)**

(espérer) que l'année va continuer comme ça.

4 **Le directeur parle avec la nouvelle responsable informatique. Conjuguez au présent.**

– Alors, Julia, comment vous trouvez *(trouver)* votre nouveau travail ? Vous ⎯⎯⎯⎯⎯ **(1)**

(apprécier) ce nouveau poste ?

– Oui, merci, tout va bien. Je ⎯⎯⎯⎯⎯ **(2)** *(travailler)* avec une équipe dynamique.

Nous ⎯⎯⎯⎯⎯ **(3)** *(remplacer)* l'ancienne organisation et nous ⎯⎯⎯⎯⎯ **(4)**

(créer) un système original. Enfin, nous ⎯⎯⎯⎯⎯ **(5)** *(essayer)* !

– Vous .... **(6)** *(penser)* terminer rapidement ?

– Assez vite, j'................................... **(7)** *(espérer)*. Mais je .... **(8)** *(préférer)* rester

prudente et nous .... **(9)** *(continuer)* sur ce projet encore secret.

5 **Transformez le texte comme dans l'exemple.**

Cécile et Élodie *passent* beaucoup de temps ensemble, *elles partagent* presque tout et *elles aiment* les mêmes choses. Une fois par mois, *elles déjeunent* ou *elles dînent* toutes les deux. *Elles changent* chaque fois de restaurant mais *elles vont* toujours dans des endroits typiques. *Elles adorent* aussi sortir le week-end et *elles préfèrent* les musées et les expos. *Elles jouent* aussi au basket ensemble.

Élodie et moi, nous passons beaucoup de temps ensemble, ...

....

....

....

....

....

B **Les verbes en -IR**

Les verbes sur le modèle de *choisir* et *partir*

CHOISIR	PARTIR
Je **chois**is ce pull.	Je **pars** demain matin.
Tu **chois**is quoi ?	Tu **pars** avec tes amis ?
Il/Elle/On **chois**it plus tard.	Il/Elle/On **part** en vacances.
Nous **chois**issons un cadeau.	Nous **part**ons au Portugal.
Vous **chois**issez vite !	Vous **part**ez quand ?
Ils/Elles **chois**issent une cravate.	Ils/Elles **part**ent en juillet.

Autres verbes sur le modèle de *choisir* : applaudir, éclaircir, finir, grandir, grossir, rajeunir, réagir, réfléchir, remplir, réussir, rougir.
Autres verbes sur le modèle de *partir* : courir, dormir, mentir, (se) servir, (se) sentir, sortir.

6 **Complétez les verbes.**

Ex. : Choisir   - Je choisis   - Nous choisissons

1. Sentir   - Elle sen...................   - Elles sen...................

2. Réussir   - Tu réuss...................   - Vous réuss...................

3. Partir   - Il par...................   - Ils par...................

4. Dormir   - Je dor...................   - Nous dor...................

5. Réfléchir   - Il réfléch...................   - Ils réfléch...................

6. Réagir   - Je réag...............   - Nous réag...............

7. Sortir   - Elle sor...............   - Elles sor...............

8. Finir   - Je fin...............   - Nous fin...............

9. Courir   - On cour...............   - Nous cour...............

7 🎧 02 **Écoutez et indiquez si les verbes se conjuguent comme *choisir* ou comme *partir*.**

Ex. : « Sentir - je sens »

	Ex.	1	2	3	4	5	6	7	8	9	10
comme **choisir**											
comme **partir**	✔										

8 **Conjuguez au présent.**

Ex. : Je remplis *(remplir)* les pots de peinture.

1. Vous .... *(choisir)* un thème.

2. Vous .... *(réfléchir)* à la composition.

3. Toi, tu .... *(éclaircir)* un peu la peinture bleue, elle est trop sombre.

4. Nous .... *(agrandir)* un peu l'ensemble.

5. On .... *(finir)* de dessiner avant de peindre.

6. Parfait ! Les autres ne .... *(réussir)* pas aussi bien.

9 **Complétez avec un verbe de la liste au présent. Puis retrouvez l'adjectif.**

rougir • ~~maigrir~~ • blondir • vieillir • grossir • grandir

Ex. : Elle n'a pas d'appétit. Elle maigrit beaucoup.   maigre

1. Ils mesurent déjà 1,90 m, ils .... trop vite !   ....

2. Vos cheveux .... au soleil, c'est joli.   ....

3. Je mange trop en vacances, je ...., c'est terrible.   ....

4. Ce garçon est timide, il .... très souvent !   ....

5. Nous .... chaque jour, malheureusement !   ....

10 **Conjuguez au présent.**

1. *(dormir)* Le week-end, nous dormons beaucoup. Toi, tu ne .... pas du tout.

2. *(sortir)* Je .... en boîte tous les soirs de la semaine. Eux, ils ....

seulement le vendredi et le samedi !

3. *(mentir)* Vous .... très souvent ! Moi, je ne .... jamais.

4. *(courir)* Elles _____ toutes les semaines pour être en forme. Lui, il _____

seulement une fois par mois.

5. *(partir)* Vous _____ souvent en vacances. Nous, on _____ rarement.

6. *(sentir)* Cette fleur _____ très bon mais les autres ne _____ pas très bon.

7. *(servir)* Ces trois machines _____ à quoi ? Ces deux-là, je ne sais pas, mais

la troisième _____ à imprimer sur du plastique.

Les verbes *venir* et *tenir* et leurs composés

VENIR	TENIR
Je **viens** seul(e).	Je **tiens** la porte.
Tu **viens** samedi ?	Tu **tiens** ma main.
Il/Elle/On **vient** avec toi.	Il/Elle/On **tient** à sa voiture.
Nous **venons** jeudi.	Nous ne **tenons** rien !
Vous **venez** de la poste.	Vous **tenez** quoi à la main ?
Ils/Elles **viennent** ensemble.	Ils/Elles **tiennent** les sacs.

(!) Autres verbes sur le modèle de *venir* : devenir, prévenir, revenir, se souvenir.
Autres verbes sur le modèle de *tenir* : appartenir, obtenir, retenir.

11 **Cyril et Bruno parlent d'amies communes. Conjuguez au présent.**

– Bruno, que deviennent *(devenir)* nos amies du Pérou ?

– Justement, elles _____ **(1)** *(revenir)* de Lima la semaine prochaine !

– Super ! J'aimerais bien les revoir.

– Bien sûr, Cyril, on te _____ **(2)** *(prévenir)* quand elles arrivent.

– Formidable ! Appelez quelques jours avant parce que je ne _____ **(3)**

(venir) pas tous les jours à Paris. Je ne sais pas si elles _____ **(4)**

(se souvenir) bien de moi, mais moi, je _____ **(5)** *(se souvenir)* très bien

d'elles ! Bon, vous me _____ **(6)** *(prévenir)*, promis ?

12 **Complétez avec le verbe *appartenir* au présent.**

Ex. : J'appartiens à une vieille famille.

1. À qui _____ ce livre ?

2. Tu _____ à un parti politique ?

3. Ces idées _____ à tout le monde !

4. À quel groupe est-ce que vous _____ ?

5. Ces documents _____ à mon collègue.

6. Nous _____ à cette équipe.

Les verbes sur le modèle d'*ouvrir*

OUVRIR
J'**ouvre** la porte.
Tu **ouvres** une fenêtre.
Il/Elle/On **ouvre** un paquet.
Nous **ouvrons** des cadeaux.
Vous **ouvrez** le courrier.
Ils/Elles **ouvrent** leur sac.

(!) Autres verbes sur le modèle de *ouvrir* : accueillir, découvrir, offrir, souffrir.

13 **Conjuguez les verbes proposés au présent.**

a. *ouvrir*

1. Vous ouvrez la fenêtre, s'il vous plaît, il fait chaud.

2. J'........................ mes cadeaux maintenant ?

b. *offrir*

3. Vous .... quoi à votre ami, pour son anniversaire ?

4. Tu ne m'........................ rien ?

c. *découvrir*

5. Quand on voyage, on .... des pays nouveaux.

6. Pour visiter, je préfère marcher. Je .... les villes à pied.

d. *accueillir*

7. Ces vendeurs .... très bien leurs clients.

8. Cette hôtesse .... tout le monde avec un grand sourire.

C Les verbes en -RE et -OIR

Verbes irréguliers courants

	Avoir	Boire	Connaître	Croire	Devoir	Être	Faire
Je/J'	ai	bois	connais	crois	dois	suis	fais
Tu	as	bois	connais	crois	dois	es	fais
Il/Elle/On	a	boit	connaît	croit	doit	est	fait
Nous	avons	buvons	connaissons	croyons	devons	sommes	faisons
Vous	avez	buvez	connaissez	croyez	devez	êtes	faites
Ils/Elles	ont	boivent	connaissent	croient	doivent	sont	font

	Mettre	**Pouvoir**	**Recevoir**	**Savoir**	**Voir**	**Vouloir**
Je	mets	peux	reçois	sais	vois	veux
Tu	mets	peux	reçois	sais	vois	veux
Il/Elle/On	met	peut	reçoit	sait	voit	veut
Nous	mettons	pouvons	recevons	savons	voyons	voulons
Vous	mettez	pouvez	recevez	savez	voyez	voulez
Ils/Elles	mettent	peuvent	reçoivent	savent	voient	veulent

(!) Les verbes *devoir, pouvoir, savoir, vouloir* sont souvent suivis d'un infinitif. **Ex. :** *Il veut **partir**.*

14 **Associez.**

1. Je/Tu •
2. Il/Elle/On •
3. Nous •
4. Vous •
5. Ils/Elles •

- **a.** buvons du thé.
- **b.** font la cuisine.
- **c.** reçois souvent des amis
- **d.** avez un bon livre de recettes.
- **e.** faites la vaisselle.
- **f.** boit de l'eau.
- **g.** reçoit quelques invités.
- **h.** mets du sucre dans le café.
- **i.** mettons un peu de sel.
- **j.** veulent goûter.

15 (03) **Écoutez et indiquez si ces verbes sont au singulier ou au pluriel.**

Ex. : « Ils doivent »

	Ex.	1	2	3	4	5	6	7	8	9	10
Singulier											
Pluriel	✔										

16 **Soulignez la réponse correcte.**

Ex. : Il *connais* / connaît la réponse.

1. Je ne *sais* / *sait* rien.
2. Ils *croit* / *croient* que cette idée est bonne.
3. Vous *voyez* / *voient* très bien les erreurs.
4. Ils *pouvons* / *peuvent* comprendre.
5. Elle *doivent* / *doit* mieux expliquer.

6. On *faisons* / *fait* beaucoup d'exercices.
7. Nous *recevons* / *reçoivent* des conseils.
8. Ils *veulent* / *voulez* mémoriser vite.
9. On *mets* / *met* les accents sur le *e* ?
10. Nous ne *boivent* / *buvons* pas de café.

Les verbes en -IRE

LIRE	DÉCRIRE	RIRE
Je **lis** un livre.	Je **décris** une photo.	Je **ris** souvent.
Tu **lis** un roman.	Tu **décris** une scène.	Tu **ris** toujours.
Il/Elle/On **lit** quoi ?	Il/Elle/On **décrit** une situation.	Il/Elle/On **rit** fort.
Nous **lisons** le grec.	Nous **décrivons** un tableau.	Nous **rions** peu.
Vous **lisez** un poème.	Vous **décrivez** un paysage.	Vous **riez** aux éclats.
Ils/Elles **lisent** bien.	Ils/Elles **décrivent** une situation.	Ils/Elles **rient**.

Autres verbes sur le modèle de *lire* : conduire, construire, contredire, détruire, dire, élire, interdire, produire, traduire.

Autres verbes sur le modèle de *décrire* : écrire, s'inscrire, prescrire, vivre, suivre.

Autre verbe sur le modèle de *rire* : sourire.

17 **Complétez avec un verbe de la liste au présent.**

dire • interdire • contredire • prédire

1. Qu'est-ce que tu dis ? – Je ne .... rien !

2. On ne .... rien parce que vous nous

.... toujours !

3. Mon professeur me ....

un bel avenir professionnel.

4. Vous ne .... jamais la vérité !

5. Elles .... l'entrée de ce bâtiment.

6. Nous .... toujours « oui ». Nous ne .... personne.

7. Vous .... le dictionnaire pendant l'examen ?

> Le verbe *dire* a une forme irrégulière **dites**, mais ses composés ont une forme régulière comme *lire*.
> **Ex. :** *Vous contredisez.*

18 **Complétez les verbes.**

Ex. : Écrire   - J'écris   Nous écrivons

1. Sourire   - Elle souri........   - Elles souri........

2. Conduire   - Tu condui........   - Vous condui........

3. Prescrire   - Il prescri........   - Ils prescri........

4. Construire   - Je construi........   - Nous construi........

5. Décrire   - Il décri........   - Ils décri........

6. Vivre   - Tu vi........   - Vous vi........

7. Suivre   - Je sui........   - Nous sui........

8. Traduire   - Elle tradui........   - Elles tradui........

Les verbes en -DRE, -EINDRE (-AINDRE, -OINDRE)

ATTENDRE	APPRENDRE	ÉTEINDRE
On garde le **d** du radical	– Au singulier, on garde le **d** du radical – Au pluriel, **le radical change**	– On ne garde pas le **d** du radical – Au pluriel, **le radical change**
J'**attends** Tu **attends** Il/Elle/On **attend** Nous **attendons** Vous **attendez** Ils/Elles **attendent**	J'**apprends** Tu **apprends** Il/Elle/On **apprend** Nous **apprenons** Vous **apprenez** Ils **apprennent**	J'**éteins** Tu **éteins** Il/Elle/On **éteint** Nous **éteignons** Vous **éteignez** Ils/Elles **éteignent**

(!) Autres verbes sur le modèle de *attendre* : confondre, dépendre, descendre, défendre, entendre, perdre, rendre, répondre, vendre.

Autres verbes sur le modèle de *apprendre* : comprendre, prendre, reprendre.

Autre verbe sur le modèle de *éteindre* : peindre, craindre, (se) plaindre, rejoindre.

19 **Complétez avec un verbe de la liste au présent.**

prendre • apprendre • comprendre

1. Tu comprends ? – Non, je ne _____ rien !

2. Vous _____ un café avec moi ?

3. Vous _____ quand je parle ?

4. J'_____ à conduire. C'est difficile !

5. Vous _____ le chinois cette année ?

6. Ils _____ le temps de vivre ! C'est bien.

7. Tu _____ le train ou l'avion ?

20 **Complétez au présent ces dialogues de la vie quotidienne.**

a. *attendre*

– Vous attendez quelqu'un ?

– Nous, nous n'_____ (1) personne.

  Mais elle _____ (2) une amie.

b. *descendre*

– Vous montez ou vous _____ (3) ?

– On _____ (4) au sous-sol.

– Très bien, je _____ (5) avec

  vous.

c. *répondre, entendre*

– Pourquoi ils ne _____ (6)

  pas ?

– Parce qu'ils n'_____ (7)

  rien !

d. *entendre*

– Tu _____ (8) ce bruit

  bizarre ?

– Non, je n'_____ (9) rien.

e. rendre, confondre

– Madame, vous me .... **(10)** trop d'argent !

– Ah oui, je .... **(11)** toujours ces deux billets.

21 **Conjuguez au présent.**

Peindre • Ils peignent des paysages. Moi, je .... **(1)** des portraits.

Rejoindre • Vous nous .... **(2)** ou on vous .... **(3)** ?

Éteindre • Tu n'................................. **(4)** pas ton ordinateur ? – Si, je l'................................. **(5)** tout de suite.

Craindre • Il n'y a pas de danger ici. Je vous assure, vous ne .... **(6)** rien.

Moi, je ne .... **(7)** rien.

Se plaindre • Ils se .... **(8)** toujours ! Mais vous ne vous .... **(9)** jamais !

D | Les verbes pronominaux

Verbes pronominaux réfléchis Le sujet fait l'action sur lui-même.	**Je me lève** tôt. **Tu t'en vas** comment ? **Il/Elle/On se promène** dans le parc. **Nous nous couchons** tard. **Vous vous habillez** à quelle heure ? **Ils/Elles s'amusent** bien ici.
Verbes pronominaux réciproques Plusieurs personnes font l'action les unes sur les autres. Ils sont conjugués seulement avec *on, nous, vous, ils, elles.*	**Nous nous retrouvons** à 8 heures. **On s'embrasse** entre amis pour dire bonjour. **Vous vous connaissez** ? **Ils/Elles se téléphonent** souvent.

(!) Attention à la structure de la phrase : – avec la négation : *Ils ne s'amusent pas.*
              – avec 2 verbes : *Je ne peux pas me lever tôt.*

22 **Mettez dans l'ordre.**

1. nous / souvent / Nous / promenons ....

2. ne / pas / se / Ils / dépêchent ....

3. On / s' / de travailler / arrête ....

4. Je / lève / à 11 heures / me ....

5. Vous / ne / couchez / maintenant / vous / pas / ? ....

6. Nous / beaucoup / amusons / nous ....

7. se / connaissent / Elles / bien ....

8. me / Je / ne / à 6 heures / lève / jamais ....

23 **Complétez avec le verbe *s'en aller* au présent.**

Ex. : Je pars seul. Mes parents, eux, ne s'en vont pas, ils préfèrent rester.

1. Tu _____ déjà ? Tu ne veux pas un café ?

2. On _____ à 8 heures juste.

3. Vous _____ déjà ? Il est encore tôt !

4. Je ne _____ pas tout de suite, j'ai encore du travail.

5. Ma fille _____ avant nous pour ouvrir notre maison de campagne.

6. Pour les vacances, cette année, on _____ à l'étranger.

7. David ne _____ pas tout de suite.

8. Nos frères _____ à l'école primaire.

> *S'en aller* signifie « partir ».
> **Ex. :** *Je ne reste pas.*
> *Je m'en vais.*

24 **Complétez avec un verbe de la liste au présent.**

s'aimer • se voir • ~~se téléphoner~~ • se disputer • se parler •
se retrouver • se raconter • se connaître • s'amuser

Ex. : Ils n'aiment pas écrire des textos, alors ils se téléphonent.

1. Ils sont très amoureux, ils _____ à la folie.

2. Au concert classique, on _____ à voix basse.

3. On _____ où ce soir ? Devant le cinéma ?

4. Annie et Sophie sont très amies, elles _____ toutes leurs histoires.

5. Les enfants _____ souvent pour des bêtises.

6. J'habite loin de chez mes parents, nous _____ une fois par mois.

7. Alexis et Joël sont amis depuis 17 ans. Ils _____ très bien.

8. Mes petits neveux _____ avec un jeu de construction.

25 **Associez.**

1. On doit •	• a. vous baigner •	• A. au parc.
2. Vous pouvez •	• b. s'asseoir •	• B. à la plage.
3. Je peux •	• c. me promener •	• C. dans l'avion.
4. Tu peux •	• d. nous reposer •	• D. à la maison.
5. Ils doivent •	• e. s'inscrire •	• E. au cirque.
6. Nous voulons •	• f. t'amuser •	• F. à l'université.

BILAN

1 Complétez avec le verbe de sens contraire au présent.

dépenser • éteindre • interdire • refuser • rire • s'ennuyer • se lever

1. Il accepte ? – Non, malheureusement, il ....

2. Je peux allumer ? – Oui, mais tu .... quand tu pars.

3. Pourquoi tu pleures ? – Je ne pleure pas, je .... !

4. Tu te couches tout de suite ? – Oui, demain je .... tôt.

5. Tu économises beaucoup d'argent ! – Oui, mais je .... beaucoup

   en vacances !

6. Tu me permets de sortir ce soir ? – Non, je t'............................... de sortir !

7. Tu t'amuses, toi, ici ? – Non, je .... !

2 Répondez aux questions avec deux verbes par phrase.

**enseigner • laver les cheveux • répéter son rôle • expliquer aux élèves •
faire des enquêtes • donner des médicaments • couper les cheveux •
écrire des articles • saluer le public • soigner les malades**

1. Que fait un acteur ? Il ....

2. Que font les professeurs ? Ils ....

3. Que fait un coiffeur ? Il ....

4. Que fait un médecin ? Il ....

5. Que font les journalistes ? Ils ....

3 Des personnes demandent leur chemin. Complétez le dialogue au présent.

– Bonjour monsieur, nous .... **(1)** *(chercher)* la maison de madame Lenoir.

  Vous .... **(2)** *(savoir)* où elle .... **(3)** *(être)* ?

– Oui, vous .... **(4)** *(tourner)* à gauche et vous .... **(5)**

  (avancer) de 200 mètres. Puis, vous .... **(6)** *(prendre)* à droite et

  vous .... **(7)** *(suivre)* la rivière jusqu'au pont.

  Vous .... **(8)** *(traverser)*, c'est la maison à côté de l'hôtel Bellevue.

– Bon, nous .... **(9)** *(prendre)* à gauche et nous .... **(10)**

  (longer) la rivière.

– Non, pas à gauche ! À droite. Vous .... **(11)** *(continuer)* tout droit.

  Et au pont, vous .... **(12)** *(faire)* attention parce que c'est très étroit.

– D'accord, merci monsieur. Au revoir !

BILAN

4 Complétez ces panneaux au présent.

1. *ouvrir*

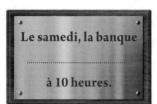

Le samedi, la banque
....
à 10 heures.

2. *se trouver*

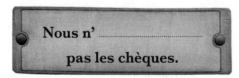

Les caisses
....
au fond
du magasin.

3. *pouvoir*

Les chiens
ne ....
pas entrer dans
la boulangerie.

4. *accepter*

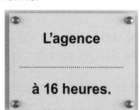

Nous n' ....
pas les chèques.

6. *vendre – pouvoir*

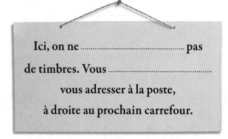

Ici, on ne .... pas
de timbres. Vous ....
vous adresser à la poste,
à droite au prochain carrefour.

5. *fermer*

L'agence
....
à 16 heures.

5 Loïc et Carine sont en vacances en Afrique du Sud. Ils racontent leur voyage à leur famille.
Conjuguez au présent.

De : loic@mail.com
A : Groupe famille
Objet : Sawubona !

Chers tous,

Nous .... *(être)* pour quelques jours dans le parc Kruger. Ce pays

.... *(être)* magnifique et passionnant. Ici, il .... *(faire)*

très chaud. Nous .... *(loger)* chez Jonathan : il .... *(avoir)*

une maison à l'intérieur du parc. Quand nous .... *(préparer)* les repas

dans la cuisine ou quand nous .... *(se reposer)* dans le salon,

nous .... *(pouvoir)* voir des animaux par la fenêtre : des éléphants,

des girafes... Le matin, nous .... *(se lever)* très tôt.

Nous .... *(partir)* en voiture avec un guide et nous ....

(visiter) le parc. Nous .... *(passer)* des vacances merveilleuses !

Bises,   Loïc et Carine

2 Les temps du passé

❯ Pour raconter des événements passés
❯ Pour décrire une situation passée

❯ Pour raconter un souvenir
❯ Pour exprimer une habitude du passé

A Le passé composé

Formation du passé composé

avoir au présent **ou** *être* au présent **+ participe passé**

avoir + participe passé la majorité des verbes	J'**ai retrouvé** mes amis. Nous **avons vu** un film.
être + participe passé • **15 verbes :** aller, arriver, descendre, entrer, monter, mourir, naître, partir, passer, rentrer, rester, retourner, sortir, tomber, venir **et certains composés :** revenir, repartir… • **les verbes pronominaux :** se lever, se promener, se coucher, se réveiller	Paul **est rentré** tard hier soir. Elle **est passée** chez ses amis dimanche. Mes amis **sont revenus** de vacances hier. Ce matin, Marie **s'est réveillée** très tôt. Nous **nous sommes couché(e)s** tard.

1 🎧 04 **Écoutez et indiquez si le verbe est au présent ou au passé composé.**

Ex. : « J'ai fini mon travail. »

	Ex.	1	2	3	4	5	6	7	8	9	10
Présent											
Passé composé	✔										

2 **Écrivez le participe passé.**

Ex. : apprendre : appris

1. manger : ....
2. connaître : ....
3. dormir : ....
4. travailler : ....
5. dire : ....
6. entendre : ....
7. finir : ....

8. lire : ....
9. étudier : ....
10. mettre : ....
11. partir : ....
12. pouvoir : ....
13. tenir : ....
14. vouloir : ....

3 **Associez les infinitifs et les participes passés.**

1. asseoir •	• **a.** fallu	9. naître •	• **i.** craint
2. avoir •	• **b.** assis	10. offrir •	• **j.** ouvert
3. conduire •	• **c.** conduit	11. paraître •	• **k.** né
4. courir •	• **d.** cru	12. craindre •	• **l.** rejoint
5. croire •	• **e.** éteint	13. ouvrir •	• **m.** vécu
6. éteindre •	• **f.** couru	14. peindre •	• **n.** offert
7. falloir •	• **g.** eu	15. rejoindre •	• **o.** peint
8. mourir •	• **h.** mort	16. vivre •	• **p.** paru

4 **Soulignez le verbe qui a une terminaison différente au participe passé.**

Ex. : finir - choisir - <u>venir</u>

1. entendre - répondre - éteindre

2. asseoir - voir - savoir

3. croire - boire - mettre

4. paraître - connaître - naître

5. lire - traduire - inscrire

6. dormir - offrir - partir

7. faire - plaire - pleuvoir

8. rire - interdire - détruire

9. souffrir - couvrir - sortir

10. donner - manger - boire

5 **Un couple raconte son mariage secret. Mettez dans l'ordre.**

> Place de la négation.
> **Ex. :** *Il **n'**a **pas** compris.*
> *Ils **ne** sont **pas** rentrés.*
> *Elles **ne** se sont **pas** ennuyées.*

Ex. : On / a / pas / une fête spéciale / voulu / n' / faire

On n'a pas voulu faire une fête spéciale.

1. rien / à notre famille / n' / Nous / dit / avons

....

2. On / nos amis / pas / a / n' / prévenu

....

3. n' / imaginé / Personne / notre secret / a

....

4. se / Nos parents / occupés / de l'événement / pas / ne / sont

....

5. Nous / invité / n' / avons / personne / à la mairie

....

6. mis / ce jour-là / Je / n' / pas / de robe blanche / ai

....

7. n' / Nous / pas / avons / nos décisions / regretté

....

Accord du participe passé

Avec l'auxiliaire *avoir*	Le participe passé ne s'accorde pas avec le sujet.	Il **a choisi** ces couleurs Elle **a choisi** ces couleurs.
Avec l'auxiliaire *être*	Le participe passé **s'accorde** avec le sujet.	Il **est parti** hier. Elle **est partie** hier.

6 **Au passé composé, ces verbes se conjuguent avec *avoir* ou *être* ? Cochez et complétez les phrases.**

	avoir	être	
Ex. : voyager	☑	☐	Nous avons voyagé au Canada l'été dernier.
1. aller	☐	☐	Ils .... chez leurs amis au Népal.
2. visiter	☐	☐	Pauline .... l'Italie plusieurs fois.
3. partir	☐	☐	Mes amis .... en Colombie il y a un mois.
4. marcher	☐	☐	Nous .... pendant deux semaines.
5. s'amuser	☐	☐	Elles .... pendant leur croisière.
6. préparer	☐	☐	Tu .... tes bagages ?
7. arriver	☐	☐	John et Maria .... hier soir en voiture.
8. quitter	☐	☐	Vous .... l'Australie quand ?
9. rencontrer	☐	☐	Léo .... Marion pendant un voyage au Kenya.
10. revenir	☐	☐	Mes parents .... de Chine lundi dernier.
11. rester	☐	☐	Marc et moi, nous .... six mois à Madagascar.

7 **Aurélie a fêté son anniversaire hier. Soulignez la ou les formes correctes du participe passé.**

Ex. : Hier soir, nous sommes *allé / allée / allés* à la fête d'anniversaire d'Aurélie.

1. Vos copains et vous, vous vous êtes *retrouvé / retrouvés / retrouvées* avant la fête.

2. Les frères d'Aurélie sont *venu / venus / venues* ensemble.

3. Nous nous sommes tous *installé / installée / installés* dans le jardin.

4. La soirée s'est bien *passé / passée / passés*.

5. Les amies d'Aurélie se sont beaucoup *amusée / amusés / amusées*.

6. Elle est *partie / parti / parties* à 2 heures du matin.

7. On s'est *endormi / endormis / endormies* tard.

8. Nous nous sommes *réveillé / réveillés / réveillées* cet après-midi !

8 **M. Gaudin et M. Bardon comparent leur vie. Transformez à la forme négative.**

Monsieur Gaudin	*Monsieur Bardon*
Ex. : Mes parents ont vécu à l'étranger.	Mes parents n'ont pas vécu à l'étranger.
1. J'ai beaucoup voyagé.	....
2. Ma femme et moi avons souvent déménagé.	....
3. J'ai gagné au loto.	....
4. Ma fille et mon fils se sont mariés.	....
5. Mes amis m'ont beaucoup aidé.	....
6. Avec ma famille, on a toujours été heureux.	....

Avoir ou *être* : cas particuliers

6 verbes, habituellement conjugués avec *être*, sont conjugués avec *avoir* quand ils ont un complément d'objet direct (COD)	descendre, monter, passer, rentrer, retourner, sortir	Nous sommes passé(e)s chez nos amis. Nous **avons passé une très bonne soirée**.

9 **Si le verbe a un COD, soulignez-le. Puis entourez la forme correcte de l'auxiliaire.**

Ex. : Elle (a)/ *est* passé des vacances en Australie.

1. Nous *sommes / avons* montés en ascenseur.

2. *Je suis / J'ai* descendu au parking.

3. On *est / a* monté les bagages.

4. *J'ai / Je suis* descendu les 11 étages à pied !

5. Il *est / a* passé dire bonjour.

6. Elles *sont / ont* rentré les valises.

7. Vous *avez / êtes* passé un bon week-end ?

8. Vous *êtes / avez* rentré à quelle heure ?

9. Nous *sommes / avons* sortis tard hier soir.

10. Ils *sont / ont* sorti les lunettes de soleil.

11. Vous *êtes / avez* rentré la voiture dans le garage ?

12. On *est / a* passé un moment agréable.

Utilisation du passé composé

Pour exprimer un fait ponctuel	Hier, **nous nous sommes levés** tard.
Pour exprimer un fait avec une durée limitée	Hier, **elles ont discuté** toute la soirée.
Pour raconter une succession de faits ponctuels	**Il s'est levé**, **il a pris** une douche, **il a bu** un café et **il est sorti**.
Pour exprimer un fait ponctuel qui a lieu plusieurs fois	**Je** t'**ai téléphoné** trois fois ce week-end.

10 **a. Conjuguez au passé composé. Attention à l'accord du participe passé.**

Ex. : Ludovic et Keiko se sont mariés *(se marier)* samedi dernier.

1. Elle .... *(regarder)* ce film au moins cinq fois.

2. Il .... *(se coucher)*, il .... *(lire)* et il .... *(s'endormir)*.

3. Avant-hier, Emma .... *(rencontrer)* un ancien voisin au marché.

4. Vous .... *(faire)* votre valise en une heure.

5. Jeudi dernier, ma cousine Sophie .... *(partir)* en voyage en Norvège.

6. Tu .... *(lire)* ce livre combien de fois ?

7. Léo et moi, nous .... *(attendre)* à la caisse, nous ....

(acheter) les billets et nous .... *(entrer)* dans le cinéma.

8. J'............................... *(être)* malade toute la nuit.

9. Il nous .... *(demander)* plusieurs fois l'heure du rendez-vous !

b. Indiquez pourquoi le passé composé est utilisé. Notez les numéros des phrases de la partie a.

• Un fait ponctuel : exemple ....   • Une succession de faits : ....

• Un fait avec une durée limitée : ....   • Un fait répété : ....

11 **Une famille fait des vérifications avant de partir en vacances. Transformez au passé composé.**

Ex. : On arrose les plantes. → On a arrosé les plantes.

1. Ils coupent le gaz et l'électricité. → Ils .... le gaz et l'électricité.

2. Vous éteignez les lumières. → Vous .... les lumières.

3. Elles ferment les portes et les fenêtres. → Elles .... les portes et les fenêtres.

4. Je mets l'alarme. → J'............................... l'alarme.

5. Elle laisse sa clé à ses voisins. → Elle .... sa clé à ses voisins.

6. Nous prévenons la concierge. → Nous .... la concierge.

12 **Des amis ont pique-niqué ensemble. Conjuguez au passé composé.**

Pour le premier soir de l'été, mes amis se sont retrouvés *(se retrouver)* au bord du lac pour un pique-nique. Les hommes .... **(1)** *(partir)* en voiture pour apporter le repas, délicieux. Lucie .... **(2)** *(venir)* seule parce que son mari .... **(3)** *(rester)* au bureau pour travailler. Lola et Rachida, elles, elles .... **(4)** *(arriver)* à vélo. Mes amis .... **(5)** *(s'amuser)* comme des fous ! Ils .... **(6)** *(rentrer)* tard dans la nuit. Nous .... **(7)** *(se retrouver)* hier chez moi. Ils m'ont raconté leur après-midi.

13 **Complétez au passé composé ces extraits de journaux.**

Ex. : Les chiffres du chômage ont baissé *(baisser)* en juillet.

1. 10 000 personnes .... *(manifester)* hier à Toulon.

2. L'équipe HFL .... *(perdre)* la finale européenne de handball.

3. La terre .... *(trembler)* hier dans le sud du Japon.

4. Samedi dernier, un habitant de Lille .... *(gagner)* 100 000 euros au casino !

5. Yann Moret .... *(recevoir)* le prix Goncourt.

6. Une voiture .... *(exploser)* ce matin à Bordeaux.

7. Le maire .... *(interdire)* les concerts de rue en semaine.

8. Le gouvernement .... *(commencer)* aujourd'hui une campagne anti-tabac.

9. Un milliardaire .... *(offrir)* cinq tableaux au musée d'Art moderne.

14 **Mme Lamigeon raconte ses vacances en famille. Conjuguez au passé composé.**

– Alors madame Lamigeon, ces vacances ?

– Superbe ! Le voyage s'est passé *(se passer)* sans problème. Les enfants .... **(1)** *(s'amuser)*, Cédric .... **(2)** *(rencontrer)* beaucoup de jeunes de son âge.

– Et vous .... **(3)** *(pouvoir)* visiter la région ?

– Oui, un peu. Joseph et moi, nous .... **(4)** *(se promener)* au bord de la mer. Nous .... **(5)** *(se baigner)*, mais pas ma fille aînée qui .... **(6)** *(rester)* au soleil pendant des journées entières !

– Et vous .... **(7)** *(revenir)* quand ?

– Nous .... **(8)** *(rentrer)* avant-hier. Et voilà : nous .... **(9)** *(retrouver)* nos habitudes !

15 **Mme Dupuy est allée à Lyon pour un voyage d'affaires. Conjuguez au passé composé.**

Mercredi dernier, madame Dupuy est partie *(partir)* en voyage d'affaires à Lyon.

Elle _____ **(1)** *(se lever)* très tôt, avant 5 heures.

Elle _____ **(2)** *(prendre)* le train à 6 heures. Elle _____ **(3)**

(arriver) à Lyon vers 8 heures. Elle _____ **(4)** *(aller)* en taxi à son premier

rendez-vous. Elle _____ **(5)** *(rencontrer)* des clients. À midi, elle _____

_____ **(6)** *(déjeuner)* dans un restaurant. L'après-midi, elle _____ **(7)**

(pouvoir) rencontrer le directeur d'une banque et elle _____ **(8)** *(discuter)*

longtemps avec lui. En fin d'après-midi, elle _____ **(9)** *(participer)*

à une conférence. Après, elle _____ **(10)** *(rentrer)* à Paris très fatiguée !

B L'imparfait

Formation de l'imparfait		Exemples
Radical du présent avec *nous*	Terminaisons de l'imparfait	
avoir → nous **av**ons	-ais	J'**av**ais des cours passionnants.
manger → nous **mange**ons	-ais	Tu **mange**ais à la cafétéria.
commencer → nous **commenç**ons **+**	-ait	Il/Elle/On **commenç**ait tôt.
finir → nous **finiss**ons	-ions	Nous **finiss**ions à 18 heures.
voir → nous **voy**ons	-iez	Vous **voy**iez vos amis après les cours.
remercier → nous **remerci**ons	-aient	Ils/Elles **remerci**aient les professeurs.

(!) Verbe *être* : j'étais, tu étais, il/elle était, nous étions, vous étiez, ils/elles étaient.
Verbes *falloir* et *pleuvoir* : il fallait, il pleuvait.

16 **Conjuguez.**

Infinitif	Présent avec *nous*	Imparfait
Ex. : aller	nous allons	il allait
1. attendre	_____	elles _____
2. comprendre	_____	on _____
3. connaître	_____	vous _____
4. croire	_____	elles _____
5. écrire	_____	nous _____
6. envoyer	_____	j' _____
7. éteindre	_____	vous _____
8. faire	_____	vous _____

Infinitif	Présent avec *nous*	Imparfait
9. lire	....	il ....
10. pouvoir	....	on ....
11. prendre	....	je ....
12. savoir	....	nous ....

17 **Transformez à l'imparfait comme dans l'exemple.**

Ex. : Nous mangeons → Nous mangions

1. Elle commence → ....

2. On se déplace → ....

3. Il faut → ....

4. Vous riez → ....

5. Je voyage → ....

6. Nous étudions → ....

7. Il pleut → ....

8. On s'ennuie → ....

18 🎧 05 **Écoutez et soulignez la forme que vous entendez.**

Ex. : « Elle mangeait » → Elle mange / <u>Elle mangeait</u>

1. Nous partons / Nous partions

2. Ils ne dorment pas / Ils ne dormaient pas

3. Je voyage / Je voyageais

4. Vous jouez / Vous jouiez

5. Elles lisent / Elles lisaient

6. Tu n'aimes pas ça / Tu n'aimais pas ça

7. Ils comprennent / Ils comprenaient

8. Vous ne savez pas / Vous ne saviez pas

9. Je commence / Je commençais

10. Ils ouvrent / Ils ouvraient

Utilisation de l'imparfait

Pour décrire une situation passée	L'année dernière, **j'habitais** à Lyon et **je travaillais** dans une banque. Maintenant, je vis à Lille et je travaille dans une agence de voyages.
Pour exprimer une habitude du passé	Quand **j'étais** enfant, nous **partions** tous les ans à la mer où mes parents **louaient** une villa.

19 **Transformez à l'imparfait.**

1. Je bois du café. → Avant, je ne .... pas de café.

2. On ne dort pas dans la même chambre. → Avant, on .... dans la même chambre.

3. Je m'intéresse à la politique. → Avant, je ne .... pas à la politique.

4. Tu pars seul en vacances. → Avant, tu ne .... pas seul en vacances.

5. Vous ne sortez pas beaucoup. → Avant, vous .... beaucoup.

6. Elles ont un emploi. → Avant, elles n'... pas d'emploi.

20 **Nicole et Charles racontent leurs souvenirs d'enfance. Complétez à l'imparfait.**

Nicole : J'appartenais *(appartenir)* à une famille nombreuse de six enfants.

Mon père _____ **(1)** *(être)* comptable. Ma mère, elle, _____ **(2)**

(ne pas travailler). Le midi, nous _____ **(3)** *(ne pas déjeuner)* à la cantine de

l'école, nous _____ **(4)** *(rentrer)* à la maison. Toute la famille _____ **(5)**

(manger) à la même heure et nous _____ **(6)** *(discuter)* beaucoup.

Charles : Chez moi, ça _____ **(7)** *(ne pas se passer)* comme ça :

je _____ **(8)** *(ne pas avoir)* de frères et sœurs. À table, seuls mon père et

ma mère _____ **(9)** *(parler)*. Le dimanche, on _____ **(10)** *(aller)*

rendre visite à mes grands-parents à la campagne. Mon père et moi, nous _____ **(11)**

(s'occuper) du jardin.

21 **Voici des situations passées. Conjuguez à l'imparfait.**

Ex. : Avant, les gens vivaient *(vivre)* sans électricité.

1. En 1960, une place de cinéma _____ *(ne pas coûter)* cher.

2. En 1965, la télévision en couleurs _____ *(ne pas exister)*.

3. Mon arrière-grand-mère _____ *(faire)* encore la lessive à la main.

4. En 1940, en France, les femmes _____ *(ne pas voter)*.

5. Au 19ᵉ siècle, on _____ *(mettre)* plusieurs semaines pour traverser l'Atlantique.

6. Mes arrière-grands-parents _____ *(se déplacer)* toujours à vélo.

7. Avant 2002, les Français _____ *(payer)* en francs.

8. Au 18ᵉ siècle, peu d'enfants _____ *(aller)* à l'école.

22 **Ève n'a pas revu son amie d'enfance depuis longtemps. Elle se souvient de leur dernière rencontre. Complétez à l'imparfait.**

Je me souviens très bien, c'était *(être)* au mois de juin 1999. Nous _____ **(1)**

(se promener) Emma et moi, boulevard Saint-Michel, les gens _____ **(2)** *(rire)*

ou _____ **(3)** *(discuter)* aux terrasses des cafés, nous _____ **(4)**

(marcher) tranquillement, nous _____ **(5)** *(regarder)* les vitrines des magasins.

Emma _____ **(6)** *(vouloir)* trouver un stage dans un musée, moi,

je _____ **(7)** *(préparer)* mes derniers examens. Nous _____ **(8)** *(parler)*

de nos projets. Nous _____ **(9)** *(faire)* notre dernière promenade ensemble.

Où est Emma maintenant ?

C Passé composé et imparfait dans un même récit

Le passé composé exprime une action ponctuelle, qui a une durée limitée dans le passé.	Je regardais la vitrine quand la pluie **a commencé**.
L'imparfait explique les circonstances d'un événement au passé.	Je suis entré dans le magasin parce qu'il **pleuvait**.

23 **Choisissez l'imparfait ou le passé composé. Soulignez.**

1. Il *traversait* / *a traversé* l'avenue quand une voiture *arrivait* / *est arrivée* en face de lui.

2. Elle *s'est promenée* / *se promenait* tranquillement. Il *a commencé* / *commençait* à pleuvoir.

3. *J'ai avancé* / *J'avançais* sur le trottoir et, à un moment, *j'ai entendu* / *j'entendais* mon nom.

4. Elle *a été* / *était assise* à la terrasse d'un café et elle *a regardé* / *regardait* les gens passer quand, tout à coup, elle *a entendu* / *entendait* un énorme bruit.

5. *Je faisais* / *J'ai fait* mes courses quand, brusquement, il y *a eu* / *avait* une explosion.

6. *Vous vous êtes reposés* / *vous vous reposiez* quand un ami *arrivait* / *est arrivé*.

7. On *a travaillé* / *travaillait* sur l'ordinateur quand il y *a eu* / *avait* une panne d'électricité.

24 **Mettez dans l'ordre.**

Ex. : parce que / étais / en retard / J' / ai pris / un taxi / j'
J'ai pris un taxi parce que j'étais en retard.

1. la réunion / avec un client / parce qu' / Il a quitté / avait rendez-vous / il

....

2. a changé de rue / parce que / la circulation / On / était difficile

....

3. parce que / a fermé / la route / La police / la rivière / continuait à monter

....

4. la radio allumée / parce qu' / On / les résultats / a laissé / on attendait

....

5. les ouvriers / parce que / travaillaient / Nous / entrer / n'avons pas pu

....

6. J' / monter à pied / l'ascenseur / était en panne / ai dû / parce que

....

D Le passé récent

Formation : Verbe *venir* au présent + de + **infinitif**.
Ex. : *Je peux voir M. Lagane ? – Désolé, il **vient de partir**.*

25 Associez.

1. Nous prenons le train de 17 h 04.
2. Pourquoi Paula est triste ?
3. Marie a fini de téléphoner ?
4. Ils sont en vacances ?
5. Où sont les filles ?
6. Tu as changé d'emploi ?

a. Elle vient de recevoir une mauvaise nouvelle.
b. Non, ils viennent de rentrer.
c. Oui, je viens de signer le contrat.
d. Malheureusement, il vient de quitter la gare !
e. Oui, elle vient de raccrocher !
f. Elles viennent d'aller se coucher.

26 Ilian donne des nouvelles de sa famille et de ses amis. Mettez dans l'ordre.

Ex. : d' / nous / Lucie et moi, / emménager / venons • *Lucie et moi, nous venons d'emménager.*

1. vient / trouver / Lucie / de / un travail

   ....

2. une jeune fille au pair / d' / Nous / engager / venons

   ....

3. se séparer / de / Nos amis / viennent

   ....

4. sa retraite / Mon père / prendre / de / vient

   ....

5. Je / m'inscrire / une formation / viens / en psychologie / de / à

   ....

6. de voiture / vient / changer / On / de

   ....

27 Transformez au passé récent.

Ex. : On s'est levés. → *On vient de se lever.*

1. Je suis sorti. → ....

2. Nous avons pris notre douche. → ....

3. Elles ont éteint la télévision. → ....

4. On a préparé le dîner. → ....

5. Ils ont rangé leurs livres. → ....

6. Vous vous êtes habillés. → ....

BILAN

1 🎧 06 **Écoutez et indiquez si vous entendez le passé composé ou l'imparfait.**

	1	2	3	4	5	6	7	8	9	10
Passé composé										
Imparfait										

2 **a. Conjuguez à l'imparfait. Associez à la situation actuelle.**

1. Avant, j' .... (*être*) très
   timide.   •

2. Avant, vous .... (*faire*)
   beaucoup de sport.   •

3. Avant, elle .... (*s'endormir*) •
   difficilement.

4. Avant, il .... (*peser*) 96 kilos. •

5. Avant, je .... (*se sentir*) seul. •

6. Avant, il .... (*partager*)
   un appartement.   •

   • **a.** Maintenant, vous marchez
     difficilement.

   • **b.** Aujourd'hui, je n'ai plus peur
     de parler en public.

   • **c.** Maintenant, j'ai beaucoup
     d'amis.

   • **d.** Maintenant, il habite seul.

   • **e.** Aujourd'hui, il pèse 65 kilos.

   • **f.** Maintenant, elle dort huit
     heures par nuit.

b. Conjuguez au passé composé.

1. J'............................ (*suivre*) un stage et j'............................ (*apprendre*) à être sûr de moi.

2. Vous .... (*avoir*) un accident.

3. Elle .... (*arrêter*) de boire du café.

4. Il .... (*faire*) un régime strict : il .... (*supprimer*) le sucre.

5. Je .... (*s'inscrire*) dans un club de randonnée.

6. Son colocataire .... (*déménager*).

3 **Complétez avec les verbes de la liste au passé composé ou à l'imparfait.**

arriver • attendre • avoir • demander • entendre •
ne pas avoir • ne pas pouvoir • poser

Hier soir, quand nous .... **(1)** à la gare toutes les deux, il y .... **(2)**

beaucoup de gens. Nous .... **(3)** à un voyageur l'heure du train pour Versailles.

Il .... **(4)** nous répondre. Nous .... **(5)** la même question

à trois employés, mais même réponse. Alors, nous .... **(6)** une heure et nous

.... **(7)** l'annonce « Prochain train pour Versailles, quai n° 18 ».

Nous .... **(8)** d'explications.

4 Complétez l'article avec les verbes au passé composé ou à l'imparfait.

▪FAITS DIVERS Accident avenue Voltaire

Loire Matin

Un accident _____ (avoir lieu) avenue Voltaire ce matin.

Un camion _____ (être) arrêté devant le feu rouge et _____ (empêcher) les automobilistes de bien voir. Une voiture qui _____ (circuler) trop vite _____ (voir) le camion au dernier moment et _____ (ne pas pouvoir) s'arrêter. Malheureusement, un piéton _____ (traverser) la rue quand la voiture _____

_____ (arriver). Le conducteur _____ (freiner) mais il _____ (heurter) le piéton qui _____ (tomber) devant la boulangerie. Le boulanger _____ (appeler) immédiatement les pompiers qui _____ (venir) cinq minutes après. Ils _____ (transporter) le piéton à l'hôpital. Le conducteur _____ (attendre) la police.

▪ JCR

5 Complétez la biographie d'Édith Piaf au passé composé et à l'imparfait.

ÉDITH PIAF

Les grands chanteurs français

Édith Piaf _____ (naître) en 1915 à Paris et _____ (mourir) en Provence en 1963.

Elle _____ (venir) d'une famille pauvre. Elle _____ (vivre) chez ses grands-parents pendant plusieurs années. Elle _____ (commencer) à chanter dans les rues de Paris dans les années 1920.

Elle _____ (avoir) une voix unique. Elle _____ (donner) des concerts dans des cabarets, le public l'_____ (adorer). En 1945, elle _____ (écrire) La Vie en rose et d'autres grands succès. Sa méthode : elle _____ (utiliser) les histoires de sa vie et les _____ (transformer) en chansons. Elle _____ (chanter) pendant 30 ans, partout dans le monde. Elle _____ (donner) son dernier concert à Paris en 1962.

Le futur proche et le futur simple

❯ Pour annoncer une action future
❯ Pour formuler un projet

❯ Pour formuler une prévision
❯ Pour formuler une promesse

A Le futur proche

Formation

Verbe *aller* au présent + **infinitif du verbe**.
Ex. : *Je **vais faire** un bon voyage.*

Utilisation

Pour formuler un projet	Nous **allons partir** à l'étranger l'année prochaine.
Pour annoncer une action future	Demain, c'est dimanche, on **va se reposer**.
Pour parler d'une action immédiate	Je **vais rentrer** dans cinq minutes.
Pour mettre en garde	Attention, tu **vas tomber** !
Pour rassurer	Ne vous inquiétez pas, ils **vont arriver** !

(!) Attention à la structure de la phrase avec la forme négative des verbes pronominaux.
Ex. : *Tu **ne vas pas** te lever de bonne heure.*

1 🎧 **07** **Écoutez et indiquez si le verbe *aller* est utilisé seul ou pour former le futur proche.**

Ex. : « On va à l'hôtel. »

	Ex.	1	2	3	4	5	6	7	8	9	10
Verbe *aller* seul	✔										
Futur proche											

2 Associez.

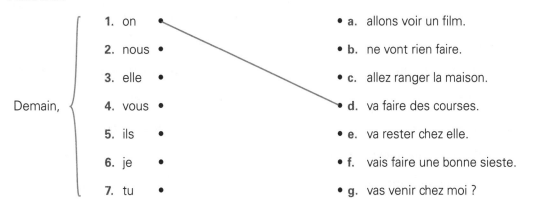

Demain,

1. on •   • a. allons voir un film.
2. nous •   • b. ne vont rien faire.
3. elle •   • c. allez ranger la maison.
4. vous •   • d. va faire des courses.
5. ils •   • e. va rester chez elle.
6. je •   • f. vais faire une bonne sieste.
7. tu •   • g. vas venir chez moi ?

3 **Un professeur annonce le programme de la semaine. Transformez au futur proche.**

Ex. : Vous rédigez un texte. → Vous allez rédiger un texte.

1. On lit ce chapitre. → .... ce chapitre.

2. Nous ouvrons le livre à la page 23. → .... le livre à la page 23.

3. Je ne répète pas l'explication. → .... l'explication.

4. Tu étudies la Révolution française. → .... la Révolution française.

5. Je ne dicte pas trop vite. → .... trop vite.

6. Ils font une présentation. → .... une présentation.

4 **Mettez dans l'ordre.**

1. renseigner / On / se / sur les programmes / va

....

2. allons / Nous / installer / nous / dans un petit appartement

....

3. Elle / s' / pour les transports / va / organiser

....

4. allez / vous / de l'emploi du temps / Vous / occuper

....

5. me / Je / présenter / vais / à un entretien

....

6. s' / Elles / sur les stages / informer / vont

....

5 **Conjuguez au futur proche.**

Ex. : Attention, vous allez tomber *(tomber)* !

1. Ce n'est pas grave, on .... *(réparer)* !

2. Pose le couteau, tu .... *(se blesser)* !

3. Attention, tu .... *(glisser)* !

4. Dépêche-toi, tu .... *(ne pas avoir)* le temps de tout faire !

5. Ralentis, on .... *(avoir)* un accident !

6. Dépêchons-nous, nous .... *(rater)* le bus !

7. Oh là, là ! Regarde le ciel ! Il .... *(y avoir)* un orage !

8. Ne vous inquiétez pas, tout .... *(s'arranger)* !

6 **Des étudiants parlent de leurs projets pour l'an prochain. Conjuguez au futur proche.**

Le professeur : Alors, qu'est-ce que vous allez faire *(faire)* l'année prochaine ?

Luc : Je _____ **(1)** *(faire)* un stage dans une école de dessin.

Delphine : Moi, je _____ **(2)** *(s'inscrire)* à la faculté de médecine.

Maud et Diane : Nous, on _____ **(3)** *(étudier)* les langues.

Moi, je _____ **(4)** *(améliorer)* mon grec à Athènes et Diane _____

_____ **(5)** *(apprendre)* le japonais à Kyoto.

Xavier : Moi, je _____ **(6)** *(ne pas continuer)* mes études,

je _____ **(7)** *(aider)* mes parents à la ferme.

Charles : Je _____ **(8)** *(traverser)* les États-Unis avec un copain et

on _____ **(9)** *(s'arrêter)* chez mon frère à San Francisco.

B Le futur simple

Formation régulière

Formation			Exemples
Je/j' Tu Il/Elle/On Nous Vous Ils/Elles	**+** **infinitif des verbes en -*er* et -*ir*** **+**	-ai -as -a -ons -ez -ont	J'**arriverai** à 8 heures. Tu **finiras** ce soir. Il/Elle/On **partira** demain. Nous **nous préparerons** de bonne heure. Vous **téléphonerez** à quelle heure ? Ils/Elles **se marieront** l'année prochaine.
Verbes en -*re* **Infinitif sans -*e* final + terminaisons du futur**			Je **dirai** la vérité. Tu **prendras** le bus.

7 **Complétez avec un pronom personnel sujet. Plusieurs réponses sont possibles.**

Ex. : Je regarderai

1. _____ visitera

2. _____ dormirez

3. _____ regretteras

4. _____ sortira

5. _____ joueront

6. _____ aimerons

7. _____ voyageront

8. _____ restera

9. _____ étudierez

10. _____ commencerai

11. _____ partirons

12. _____ ouvriras

8 **Transformez au futur simple.**

Ex. : Il prépare → Il préparera

1. Je décore → Je ....

2. On vit → On ....

3. Tu compares → Tu ....

4. Nous croyons → Nous ....

5. Ils suivent → Ils ....

6. Vous respirez → Vous ....

7. Nous rions → Nous ....

8. Elle perd → Elle ....

Cas particuliers

Certains verbes en -eler, -eter	La consonne finale du radical double : **-ll** ou **-tt**.	Je te rappe**ll**erai demain soir. On ne je**tt**era rien.
Certains verbes en -eter, -ever, -ener, -eser	Le **e** du radical devient **è**.	Elles ach**è**teront un smartphone. Vous vous l**è**verez tôt. On se prom**è**nera ensemble. Il se p**è**sera tous les jours.
Verbes en -ayer, -uyer, -oyer (sauf *envoyer*, verbe irrégulier)	Le **y** du radical devient **i**. Les verbes en -ayer ont deux formes possibles.	On s'ennu**i**era peut-être. Nous emplo**i**erons un autre mot. Je pa**i**erai/pa**y**erai en espèces.

9 **Transformez au futur simple.**

1. Vous allez acheter des glaces. → Vous .... des glaces.

2. Tu vas payer cher. → Tu .... cher.

3. Elle va jeter ses vieux journaux. → Elle .... ses vieux journaux.

4. On va s'ennuyer. → On ....

5. Nous allons nous lever tôt. → Nous .... tôt.

6. On va essayer cette voiture. → On .... cette voiture.

10 **Complétez les verbes au futur.**

Ex. : Ils élèveront les murs de leur jardin. *(élever)*

1. Vous am.. votre famille. *(amener)*

2. Je compl.. la liste. *(compléter)*

3. Elle emm.. les enfants à l'école. *(emmener)*

4. Il ép.. les mots difficiles. *(épeler)*

5. Nous p.. nos bagages. *(peser)*

6. Vous rej.. sa proposition. *(rejeter)*

7. Nous nous prom.. en forêt. *(se promener)*

Verbes irréguliers

aller	→ il **ira**	faire	→ nous **ferons**	savoir	→ tu **sauras**
avoir	→ nous **aurons**	falloir	→ **il faudra**	tenir	→ elle **tiendra**
courir	→ tu **courras**	mourir	→ on **mourra**	venir	→ je **viendrai**
devoir	→ elle **devra**	pleuvoir	→ **il pleuvra**	voir	→ ils **verront**
envoyer	→ j'**enverrai**	pouvoir	→ je **pourrai**	vouloir	→ elles **voudront**
être	→ vous **serez**	recevoir	→ on **recevra**		

(!) *Falloir* et *pleuvoir* sont des verbes impersonnels.

11 **Associez et complétez avec le pronom sujet.**

1. Vous venez •
2. Il pleut •
3. On peut •
4. Tu as •
5. Vous faites •
6. Ils veulent •
7. Elles sont •
8. Nous allons •
9. Elle doit •
10. Je vois •

• **a.** .... voudront
• **b.** Vous viendrez
• **c.** .... pleuvra
• **d.** .... verrai
• **e.** .... devra
• **f.** .... ferez
• **g.** .... seront
• **h.** .... irons
• **i.** .... pourra
• **j.** .... auras

12 [08] **Écoutez les verbes au futur simple et écrivez l'infinitif.**

Ex. : « Elle devra » → devoir

1. ....
2. ....
3. ....
4. ....

5. ....
6. ....
7. ....
8. ....

9. ....
10. ....
11. ....
12. ....

13 **Conjuguez au futur simple.**

Ex. : Nous devrons *(devoir)* déménager.

1. Il .... *(aller)* à l'étranger.
2. On ne .... *(pouvoir)* pas être là.
3. J'.................... *(avoir)* plus de temps.
4. Tu .... *(faire)* du sport.

5. On .... *(être)* absent.
6. Elles .... *(venir)* en France.
7. Vous ne .... *(voir)* pas vos amis.
8. Il .... *(falloir)* organiser le voyage.

Utilisation du futur simple

Pour annoncer un fait programmé	Demain, nous **nous retrouverons** à 8 heures.
Pour formuler une promesse	Je n'**arriverai** plus en retard, c'est promis !
Pour formuler une prévision	Demain, il **neigera** toute la journée.
Pour formuler une prédiction	Dans 50 ans, il y **aura** seulement des voitures électriques.

14 **L'organisateur du prochain stage marketing présente le programme. Associez.**

1. Le stage •
2. Les participants •
3. Les animateurs •
4. Pour commencer, je •
5. À midi, on •
6. L'après-midi, nous •
7. On •
8. Il •
9. En fin de journée, chaque groupe •
10. Chaque participant •

• **a.** souhaiteront la bienvenue aux stagiaires.
• **b.** présentera un résumé de son travail.
• **c.** travaillera de 14 heures à 17 heures.
• **d.** durera trois jours.
• **e.** y aura quatre groupes.
• **f.** ferai une présentation du programme.
• **g.** arriveront en fin de matinée.
• **h.** répartirons les participants en groupes.
• **i.** recevra un diplôme.
• **j.** prendra le déjeuner ensemble.

15 **Conjuguez au futur simple.**

Ex. : Je réfléchirai *(réfléchir)* avant d'agir.

1. Il .... *(suivre)* les conseils de ses amis.

2. On .... *(ne plus réagir)* trop vite.

3. Elle .... *(essayer)* d'être ponctuelle.

4. Nous .... *(prendre)* le temps d'écouter les autres.

5. Elles .... *(ne pas oublier)* leur rendez-vous.

6. Vous .... *(être)* plus prudent.

7. Tu .... *(ne plus mentir)* !

8. J' .... *(arrêter)* de me moquer des autres.

9. Ils .... *(faire)* plus attention.

16 **Conjuguez au futur simple.**

Ex. : Il va chez des clients. → Il ira chez des clients.

1. Il faut préparer la réunion. → ....

2. Tu n'es pas en congés. → ....

3. Vous avez une semaine difficile. → ....

4. Il y a des changements de poste.

→ ....

5. On ne peut pas prendre de vacances.

→ ....

6. Nous faisons le déménagement des bureaux.

→ ....

7. Elles viennent dans les nouveaux locaux.

→ ....

8. J'envoie une invitation pour l'inauguration.

→ ....

9. On reçoit de nouvelles candidatures.

→ ....

17 **Dans le conte *La Belle au bois dormant,* les fées annoncent l'avenir d'Aurore à sa naissance. Conjuguez au futur simple.**

Les bonnes fées : Tout le monde l'adorera *(adorer)*, elle .... **(1)** *(chanter)*

et .... **(2)** *(danser)* très bien. Elle .... **(3)** *(grandir)* dans le bonheur.

Un prince l'....................................... **(4)** *(épouser)* et ils .... **(5)** *(vivre)* heureux.

La mauvaise fée arrive : Moi, je prédis qu'elle .... **(6)** *(mourir)* avant dix-huit ans !

Les bonnes fées corrigent : Elle .... **(7)** *(rester)* en vie mais elle ....

.... **(8)** *(se piquer)* le doigt et .... **(9)** *(s'endormir)*. C'est le baiser d'un prince

qui la .... **(10)** *(réveiller)* et elle l'....................................... **(11)** *(aimer)* tout de suite.

18 **Des scientifiques font des prédictions. Complétez au futur simple.**

Actuellement	*Dans 50 ans*
Ex. : La planète Terre est en danger.	Elle sera mieux protégée.
1. Il y a beaucoup de pollution.	Il y .... moins de pollution.
2. On doit préserver la nature.	On .... toujours la préserver.
3. Nous ne sommes pas assez responsables.	Nous .... plus responsables.
4. Les scientifiques nous alertent.	Ils nous .... encore !
5. La médecine fait des progrès.	Elle .... encore plus de progrès.
6. Il faut limiter l'usage des plastiques.	Il .... interdire les plastiques.
7. Les dirigeants veulent faire des économies.	Ils .... toujours diminuer les coûts.

C L'hypothèse dans le futur

Si / S' + verbe au présent, verbe au futur.

Ex. : S'il fait beau, nous **ferons** une randonnée.

19 **Conjuguez au présent ou au futur simple.**

Ex. : Si tu viens *(venir)*, je ferai *(faire)* la cuisine pour toi.

1. Si je _____ *(faire)* la cuisine, je te _____ *(préparer)* une bonne paëlla.

2. Si je la _____ *(préparer)*, tu me _____ *(féliciter)*.

3. Si tu me _____ *(féliciter)*, je _____ *(être)* heureux.

4. Si je _____ *(être)* heureux, je _____ *(sourire)*.

5. Si nous _____ *(sourire)*, la vie _____ *(être)* belle !

6. Si la vie _____ *(être)* belle, tout _____ *(sembler)* plus simple !

7. Si tu _____ *(faire)* toutes ces choses, nous _____ *(être)* heureux tous les deux.

8. Si nous _____ *(rester)* amis longtemps, nous _____ *(avoir)* beaucoup de souvenirs.

20 **Conjuguez au présent ou au futur simple.**

1. Si vous allez *(aller)* à Paris, vous _____ *(voir)* des gens pressés.

2. Vous _____ *(pouvoir)* voir tous les films que vous voulez, si vous _____ *(aimer)* le cinéma.

3. Si vous _____ *(vouloir)* vous loger, ce _____ *(être)* un peu difficile et vous _____ *(payer)* peut-être cher.

4. Si vous _____ *(se promener)* dans les magasins, vous _____ *(trouver)* beaucoup de belles choses.

5. Vous _____ *(se sentir)* fatigués les premiers jours, si vous _____ *(ne pas avoir l'habitude)* du bruit et de la foule.

6. Si vous _____ *(aimer)* cette ville, vous _____ *(regretter)* de partir.

7. Mais si vous _____ *(souhaiter)* rester encore quelques jours, je _____ *(pouvoir)* vous faire découvrir la vraie vie parisienne.

8. Vous _____ *(découvrir)* des lieux insolites, les boutiques typiques si vous _____ *(accepter)* de vous éloigner des quartiers touristiques.

BILAN

1 Des gens parlent d'une action future. Soulignez le verbe correct.

1. Fais attention, tu *vas tomber / tomberas* !

2. Vite, vite, Michel *va arriver / arrivera* !

3. Quand je *vais être / serai* grand, je *vais travailler / travaillerai* dans l'informatique.

4. Attention, vous *allez vous faire mal / vous ferez mal* !

5. Attends, j'arrive, je *vais t'aider / t'aiderai* !

6. C'est l'heure, il *va falloir / faudra* se préparer.

7. Quand ils *vont avoir / auront* leur diplôme, ils *vont chercher / chercheront* un emploi.

8. Dépêche-toi, nous *allons manquer / manquerons* le train.

2 Complétez au présent ou au futur simple ces annonces aux passagers d'un avion.

Le commandant   Mesdames et messieurs, bonjour, ici votre commandant de bord. Pendant une grande partie du vol, nous .... **(1)** *(voler)* à une altitude de 10 000 mètres et nous .... **(2)** *(aller)* à une vitesse de 900 km/h. Si les conditions météo .... **(3)** *(continuer)* à être favorables, le vol .... **(4)** *(durer)* trois heures et nous .... **(5)** *(atterrir)* à Istanbul à 12 h 30.

Le Chef de cabine Dans un instant, les hôtesses .... **(6)** *(faire)* les recommandations de sécurité et elles .... **(7)** *(servir)* un petit-déjeuner après le décollage. Si vous .... **(8)** *(avoir)* des questions et si vous .... **(9)** *(désirer)* quelque chose, elles .... **(10)** *(essayer)* de répondre à votre demande.

3 Transformez les formes du futur simple au futur proche et inversement.

Futur simple		*Futur proche*
1. Je prononcerai mieux.	→	....
2.	←	Vous allez revenir certainement.
3. On aura un diplôme.	→	....
4. Tu pourras traduire pour les autres.	→	....
5.	←	Je vais découvrir une autre culture.
6. Nous ne nous souviendrons pas de tout !	→	....
7.	←	Elle va s'exprimer facilement.
8. Vous vous rappellerez ce séjour !	→	....

4 Complétez ce programme touristique au futur simple.

NORMANDÉCOUV *Votre agence touristique pour découvrir la Normandie*

JOURNÉE À CAEN – PROGRAMME

9 h : Nous _____ *(prendre)* le petit-déjeuner à 9 heures du matin.

9 h-10 h : Nous _____ *(se réunir)* ensuite dans la grande salle et nous _____ *(ne pas partir)* avant 10 heures, nous _____ *(devoir)* attendre le car.

10 h-10 h 30 : Le car nous _____ *(conduire)* à Caen où nous _____ *(arriver)* en fin de matinée.

11 h-11 h 45 : La visite du musée _____ *(durer)* environ trois quarts d'heure.

12 h-14 h : Nous _____ *(déjeuner)* à la cafétéria du musée.

14 h-17 h : L'après-midi, vous _____ *(être)* libres pour découvrir la ville. Il _____ *(falloir)* peut-être prévoir des parapluies.

À partir de 18 h : Le soir, nous _____ *(se retrouver)* à l'hôtel vers 18 heures. Là, on vous _____ *(offrir)* un cocktail.

---

5 Meteodesregions.fr prévoit la météo de demain. Conjuguez au futur simple.

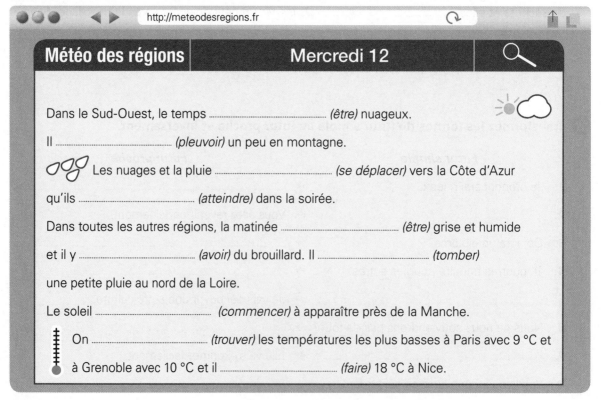

http://meteodesregions.fr

Météo des régions   **Mercredi 12**

Dans le Sud-Ouest, le temps _____ *(être)* nuageux.

Il _____ *(pleuvoir)* un peu en montagne.

Les nuages et la pluie _____ *(se déplacer)* vers la Côte d'Azur qu'ils _____ *(atteindre)* dans la soirée.

Dans toutes les autres régions, la matinée _____ *(être)* grise et humide et il y _____ *(avoir)* du brouillard. Il _____ *(tomber)* une petite pluie au nord de la Loire.

Le soleil _____ *(commencer)* à apparaître près de la Manche.

On _____ *(trouver)* les températures les plus basses à Paris avec 9 °C et à Grenoble avec 10 °C et il _____ *(faire)* 18 °C à Nice.

L'interrogation **4**

❯ Pour poser des questions
❯ Pour demander une information

❯ Pour demander une précision
❯ Pour s'informer sur une chose, un lieu, une personne

A Les questions avec *est-ce que ... ?*

Qui	**Qui est-ce que** vous cherchez ? – Le directeur. **Pour qui est-ce qu'**il travaille ? – Pour son père.
Que / Quoi	**Qu'est-ce que** tu regardes ? – Rien de spécial. **À quoi est-ce que** tu penses ? – À mes prochaines vacances.
Où	**Où est-ce qu'**il va ce week-end ? – En Belgique, je crois. **D'où est-ce qu'**ils viennent ? – De chez leurs parents.
Quand	**Quand est-ce que** vous partez ? – Demain soir, après le travail.
Comment	**Comment est-ce qu'**elle va à Nice ? – En avion.
Pourquoi	**Pourquoi est-ce que** tu ne viens pas ? – Parce que je suis fatigué.
Combien Combien de	**Combien est-ce que** ça coûte ? – 119 euros. **Combien de** personnes **est-ce qu'**il y a ? – Une dizaine, je pense.

1 **Alex a pris l'Eurostar pour Londres. Associez.**

1. Comment est-ce qu'il a voyagé ?
2. Quand est-ce qu'il a pris le train ?
3. Qui est-ce qu'il connaît à Londres ?
4. Pourquoi est-ce qu'il est allé à Londres ?
5. Avec qui est-ce qu'il était ?
6. Qu'est-ce qu'il a rapporté ?
7. Combien de temps est-ce qu'il a mis ?
8. D'où est-ce qu'il est parti ?

a. Avec personne. Il a voyagé seul.
b. Rien.
c. De la gare du Nord à Paris.
d. Environ 3 heures.
e. Parce qu'il avait une conférence.
f. Personne.
g. Hier.
h. En train.

2 **Roxane veut tout savoir. Transformez ses questions avec *est-ce que*.**

Ex. : Vous faites quoi ce soir ? → Qu'est-ce que vous faites ce soir ?

1. Vous dînez où ? → ....
2. Vous rentrez à quelle heure ? → ....
3. Vous avez des amis ? → ....
4. Avec qui vous travaillez ? → ....
5. Vous allez au cinéma quand ? → ....
6. Pourquoi vous habitez seul ? → ....
7. Comment vous avez trouvé cet appartement ? → ....

3 **Posez des questions sur Camilla avec un mot de la liste et *est-ce que*.**

quand • ~~comment~~ • combien de • chez qui • qu' • d'où • pourquoi

Ex. : Elle s'appelle Camilla. Comment est-ce qu'elle s'appelle ?

1. Elle a deux frères. ....

2. Elle vient de Florence. ....

3. Elle étudie l'histoire. ....

4. Elle arrive demain. ....

5. Elle vient pour étudier. ....

6. Elle habite chez un ami. ....

4 **Anne s'intéresse à l'objet fabriqué par Fatou. Complétez avec un mot de la liste et *est-ce que*.**

avec qui • ~~avec quoi~~ • dans quoi • pour qui • pourquoi • où • à quoi

Ex. : Avec quoi est-ce que tu as fait cet objet ? – Avec du carton et du bois.

1. .... tu as trouvé le modèle ? – Dans un magazine.

2. .... ça sert ? – À rien de spécial. C'est juste décoratif.

3. .... tu l'as fabriqué ? – Avec personne. Je l'ai fait seule.

4. .... tu l'as fait ? – Pour ma sœur. C'est bientôt son anniversaire.

5. .... tu as choisi ce modèle ? – Parce qu'elle adore les objets originaux.

6. .... tu vas le mettre pour lui offrir ? – Dans une vieille boîte en métal !

B | *Qui est-ce qui… / Qui est-ce que (qu')… ?*
Qu'est-ce qui… / Qu'est-ce que (qu')… ?

La question porte sur une personne	**Qui est-ce qui** est **sujet** du verbe	**Paul** a téléphoné. – **Qui est-ce qui** a téléphoné ?
	Qui est-ce que/qu' est **complément d'objet direct** du verbe	J'ai vu **Paul**. – **Qui est-ce que** tu as vu ?
La question porte sur une chose	**Qu'est-ce qui** est **sujet** du verbe	**Quelque chose** est arrivé ! – **Qu'est-ce qui** est arrivé ?
	Qu'est-ce que/qu' est **complément d'objet direct** du verbe	Elle veut **quelque chose**. – **Qu'est-ce qu'**elle veut ?

5 (09) **Écoutez et indiquez les questions que vous entendez.**

Ex. : « Qu'est-ce que vous faites ? »

	Ex.	1	2	3	4	5	6	7	8	9	10
Qui est-ce qui … ?											
Qui est-ce que … ?											
Qu'est-ce qui … ?											
Qu'est-ce que … ?	✔										

6 **Associez.**

1. Qui est-ce qui •
2. Qui est-ce que/qu' •
3. Qu'est-ce qui •
4. Qu'est-ce que/qu' •

   • **a.** veut venir avec moi ?
   • **b.** tu invites pour ton anniversaire ?
   • **c.** il a rencontré hier ?
   • **d.** aime ça ?
   • **e.** elle pense de ça ?
   • **f.** va se passer ?
   • **g.** est écrit dans les journaux, ce matin ?
   • **h.** vous avez commandé ?
   • **i.** ne va pas ?

7 **Masha parle avec sa grand-mère qui entend mal. Complétez avec *qui est-ce qui, qui est-ce que, qu'est-ce qui* ou *qu'est-ce que.***

– <u>Sébastien</u> part avec moi.

– Pardon Masha, qui est-ce qui part avec toi ?

– Je connais seulement <u>Jeanne et Dounia</u>, pas les autres.

– Excuse-moi, _____ **(1)** tu connais ?

– C'est <u>Paul</u> qui m'a offert ces fleurs.

– Comment, _____ **(2)** t'a offert ces fleurs ?

– J'ai découvert <u>une chose géniale</u>.

– Ah bon ? _____ **(3)** tu as découvert ?

– Je ne me sens pas bien.

– Quoi ? _____ **(4)** ne va pas ?

– Je vais appeler <u>Chloé</u>.

– _____ **(5)** tu vas appeler ?

– <u>Mes amis brésiliens</u> arrivent demain.

– Pardon, _____ **(6)** arrive demain ?

– <u>Il va y avoir une terrible tempête de neige</u>.

– Quoi ? _____ **(7)** va se passer ?

C Demander une précision

Qu'est-ce que ... comme ... ? / ... quoi comme ... ?

Langue courante	Langue familière
Il cherche un appartement. – **Qu'est-ce qu'**il cherche **comme** appartement ?	J'ai une voiture. – Tu as **quoi comme** voiture ?

8 **Deux amis regardent le menu au restaurant. Transformez leurs questions comme dans l'exemple.**

Ex. : Qu'est-ce que tu choisis comme menu ? → Tu choisis quoi comme menu ?

1. Qu'est-ce que tu prends comme apéritif ?

→ ....

2. Tu veux quoi comme entrée ?

→ ....

3. Tu préfères quoi comme boisson ?

→ ....

4. Tu veux quoi comme légumes avec le steak ?

→ ....

5. Qu'est-ce qu'on prend comme dessert ?

→ ....

9 **Posez les questions avec *Qu'est-ce que ... comme ...* (courant) ou *... quoi comme ...* (familier).**

Ex. : Ils lisent *Le Monde. (journal) (courant)* • Qu'est-ce qu'ils lisent comme journal ?

1. Ils font de l'équitation. *(sport)*

(familier) ....

2. Ils aiment le rock. *(musique)*

(courant) ....

3. Ils apprennent le chinois. *(langue)*

(familier) ....

4. Ils lisent des romans. *(livres)*

(courant) ....

5. Ils portent des costumes. *(vêtements)*

(familier) ....

6. Ils conduisent des voitures de sport. *(voitures)*

(courant) ....

L'adjectif *quel* et le pronom *lequel*

	Adjectif	Pronom
Passe-moi le dictionnaire sur la table !	– **Quel** dictionnaire ?	– **Lequel** ?
Tu peux me prêter la gomme ?	– **Quelle** gomme ?	– **Laquelle** ?
Je voudrais ces ciseaux, s'il vous plaît.	– **Quels** ciseaux ?	– **Lesquels** ?
Prends ces feuilles, là !	– **Quelles** feuilles ?	– **Lesquelles** ?

10 🎧 **10 Écoutez et indiquez la forme de l'adjectif *quel* que vous entendez.**

Ex. : « Quelle est la capitale du Japon ? »

	Ex.	1	2	3	4	5	6	7	8	9	10
Quel… ?											
Quelle… ?	✔										
Quels… ?											
Quelles… ?											

11 **Complétez avec *quel, quelle, quels* ou *quelles*.**

Ex. : Vous avez pris quelle route ?

1. Tu t'es promené sur .... chemins ?

2. Nous allons traverser .... régions ?

3. Ils s'arrêtent dans .... villages ?

4. Tu es revenu avec .... souvenirs ?

5. Il a goûté .... spécialités ?

6. Elles partent avec .... club ?

7. On va réserver .... excursion ?

8. Vous êtes rentrés .... jour ?

12 **Léa et Romane font des achats. Complétez avec *lequel, laquelle, lesquels* ou *lesquelles*.**

– Romane, regarde le pantalon, là !   – Lequel ? Le noir ?

– Et la chemise à côté !   – .... **(1)** ? La blanche ou la jaune ?

– Tu vois l'anorak bleu ?   – Non, ... **(2)** ? Avec une capuche ?

– Regarde ces gants en laine !   – .... **(3)** ? Les gris ? Je n'aime pas.

– Et les lunettes de soleil, là ?   – .... **(4)** ? Les grosses ou les petites ?

– Et ces bottes, elles sont belles, non ?   – .... **(5)** ? Les noires ?

– La veste en cuir, tu la trouves bien ?   – .... **(6)** ? La rouge ?

– Regarde l'imperméable gris !   – .... **(7)** ? Le long ?

– Eh bien, Romane, tu n'es pas très enthousiaste !   – Non, tu sais, moi, faire les magasins, je n'aime pas trop ça.

13 **Deux amies organisent une fête. Complétez avec *quel* ou *lequel* à la forme correcte.**

– Pour l'anniversaire de Sandrine, j'ai une idée : on va lui faire une surprise !

– Quelle surprise ?

– On va organiser une fête. D'abord, on invite sa cousine.

– .... **(1)** cousine ?

– Sa cousine de Bordeaux.

– .... **(2)** exactement ? Sandrine a deux cousines à Bordeaux, je crois.

– Comment elle s'appelle déjà ? Ah oui, Lucie ! Et puis tous ses copains de lycée.

– .... **(3)** ? Pas Christophe et Mathieu, elle ne les aime pas beaucoup.

– Eux, non, bien sûr, mais les autres. Et puis, on va lui faire un gros gâteau.

– .... **(4)** genre de gâteau ? Pas une tarte, elle déteste ça.

– Oui, je sais. Un gâteau aux amandes ?

– .... **(5)** ? Le gâteau que tu nous as fait pour mon anniversaire ?

– Oui, pourquoi pas ? Et je vais lui acheter un CD de Julien Doré.

– .... **(6)** ? Elle les a tous, je crois !

– Attends, j'ai une meilleure idée !

– Ah oui ? .... **(7)** ?

D Les trois types de questions

Question intonative	Est-ce que...	Inversion : verbe-sujet
Langue familière	Langue courante	Langue formelle
Vous avez des enfants ?	**Est-ce que** vous avez des enfants ?	**Avez-vous** des enfants ?
Vous travaillez où ?	Où **est-ce que** vous travaillez ?	Où **travaillez-vous** ?
Tu as quel âge ?	Quel âge **est-ce que** tu as ?	Quel âge **as-tu** ?
Tu t'appelles comment ?	Comment **est-ce que** tu t'appelles ?	Comment **t'appelles-tu** ?
Tu fais quoi ?	Qu'**est-ce que** tu fais ?	Que **fais-tu** ?

14 🎧 11 **Une personne veut prendre un cours de français. Écoutez les questions et indiquez le niveau de langue.**

Ex. : « Comment est-ce que vous vous appelez ? »

	Ex.	1	2	3	4	5	6	7	8	9	10
Familier											
Courant	✔										
Formel											

15 **Mettez dans l'ordre les questions de cet interrogatoire de police.**

Dans l'inversion, le verbe et le pronom sont reliés par un trait d'union.
Ex. : *Avez-vous fini ?*

Ex. : vous / Comment / appelez / - / vous / ?
Comment vous appelez-vous ?

1. était / heure / il / Quelle / - / ?

....

2. étiez / Où / - / vous / ?

....

3. avez / fait / - / Qu' / vous / ?

....

4. Connaissiez / - / la victime / vous / ?

....

5. appelé / Avez / - / la police / immédiatement / vous / ?

....

6. au commissariat / Pouvez / - / nous suivre / vous / ?

....

16 **Réécrivez avec l'inversion les questions posées sur un voyage.**

Ex. : Est-ce que vous avez fait bon voyage ?
→ Avez-vous fait bon voyage ?

Dans l'inversion, si le verbe se termine par une voyelle et que le pronom sujet commence par une voyelle, on ajoute *-t-*.
Ex. : *Comment s'appelle-**t**-il ? / Y a-**t**-il un train vers 8 heures ?*

1. À quelle heure vous êtes partis ce matin ?

→ .... ce matin ?

2. Comment est-ce que tu es allé à la gare ?

→ .... à la gare ?

3. Qu'est-ce que vous avez fait dans le train ?

→ .... dans le train ?

4. Il a eu un vol direct ?

→ .... un vol direct ?

5. Combien de temps tu as attendu le taxi ?

→ .... le taxi ?

6. Est-ce qu'elle a mangé quelque chose dans l'avion ?

→ .... quelque chose dans l'avion ?

7. Il y avait du monde ?

→ .... du monde ?

BILAN

1 **Soulignez les formes correctes dans ce questionnaire pour un entretien d'embauche.**

1. *Quels / Quelle* sont vos diplômes ?

2. Vous avez fait des études. *Lesquels / Lesquelles* ?

3. *Où / Qui* avez-vous travaillé ?

4. *Combien / Combien de* stages avez-vous fait ?

5. *Qu'est-ce qui / Qu'est-ce que* vous intéresse dans notre entreprise ?

6. *Que / Quoi* connaissez-vous comme langue étrangère ?

7. *Qu'est-ce que / Est-ce que* vous êtes libre rapidement ?

2 **Mme Lepage veut faire un stage d'informatique. Elle répond aux questions de la secrétaire du centre de formation. Transformez les questions avec l'inversion.**

– Bonjour madame, vous voulez faire quoi comme formation ?

→ .... **(1)** ?

– Un stage d'informatique, pour mon travail.

– Vous voulez le faire quand ? → .... **(2)** ?

– Pendant les vacances de Pâques, si possible.

– Vous connaissez quels logiciels ? → .... **(3)** ?

– Word et Excel. Où est-ce que le stage a lieu ? → .... **(4)** ?

– Ici, dans nos locaux.

– Il coûte combien ? → .... **(5)** ?

– 3 800 euros. Vous réglez comment ? → .... **(6)** ?

– Vous acceptez les cartes bancaires ? → .... **(7)** ?

3 **Élise s'inquiète car son fils Thomas n'est pas rentré. Complétez ses questions. Utilisez *est-ce que* quand c'est possible.**

– Voyons, ... **(1)** il se trouve à cette heure ? Il n'est pas encore là.

Minuit déjà ! Mais, ... **(2)** fait-il ? .... **(3)**

il ne m'a pas encore téléphoné ? .... **(4)** il est sorti ? Avec Julien ?

.... **(5)** il peut être ? Dans un café ? Chez un copain ? À l'hôpital ?

Il est peut-être avec une copine. .... **(6)** ? Céline ? Aurélie ?

– Élise, le téléphone sonne ! Tu réponds ?

– Allô ? C'est toi, Thomas ? Tout va bien ? Pardon ? .... **(7)** tu dors ?

Chez Julien ? Bon, d'accord. Bonne nuit ! À demain !

4 M. Leroy pose des questions à l'office de tourisme de Chamonix. Complétez ses questions avec l'inversion.

De : jean.leroy@email.com

À : contact@office-de-tourisme-chamonix.fr

Objet : Vacances à Chamonix

Bonjour,

Je voudrais passer mes vacances d'été à Chamonix.

(Il fait quel temps) .... en été ? *(Il neige)* ....

en cette saison ? *(On peut)* .... faire l'ascension du Mont-Blanc ?

(C'est) .... dangereux ? *(Il faut)* .... un guide de haute

montagne ? *(Vous me conseillez quoi)* .... ?

(Vous avez) .... une liste d'hôtels et de locations ? *(Il y a)* ....

.... une gare ?

Cordialement. Jean Leroy

5 Complétez les questions dans cette interview. Utilisez *est-ce que* quand c'est possible.

GÉO VOYAGES
Le magazine des Globe-Trotters

« Une année inoubliable ! »

La famille Buttin est partie en voyage pendant un an. Sophie, la mère, répond à nos questions.

GÉO : Sophie, ... a motivé cette aventure ?

SOPHIE : Notre curiosité !

GÉO : .... vous avez voyagé ?

SOPHIE : En camping-car.

GÉO : .... vous avez eu des surprises sur les routes, des animaux par exemple ?

SOPHIE : Non, pas vraiment. Nous étions souvent dans le camping-car.

GÉO : .... kilomètres est-ce que vous avez fait ?

SOPHIE : Je ne sais pas, à peu près 18 000.

GÉO : .... type d'enseignement avez-vous choisi pour vos enfants ?

SOPHIE : Les devoirs par Internet.

GÉO : .... vous avez choisi ce système ?

SOPHIE : Parce que c'est pratique.

GÉO : .... vous êtes rentrés ?

SOPHIE : Au mois d'août, à la fin de vacances.

GÉO : Vous avez beaucoup de souvenirs, je suppose. .... pouvez-vous raconter par exemple ?

SOPHIE : Un jour, nous sommes tombés en panne d'essence !

GÉO : .... vous étiez ?

SOPHIE : Dans les Andes !

GÉO : .... vous avez fait ?

SOPHIE : On a eu de la chance. Des gens ont emmené mon mari à la station d'essence.

GÉO : Au final, c'était une belle expérience ?

SOPHIE : Oui, une année inoubliable ! ■

5 La négation

> Pour refuser une proposition
> Pour formuler une interdiction

> Pour donner une opinion
> Pour exprimer un désaccord

A La place de la négation *ne ... pas*

Avec les temps simples	Ce matin, je **ne vais pas** bien, je **ne me sens pas** en forme. Demain, je **ne sortirai pas**. Avant, on **n'allait pas** souvent chez le médecin.
Avec les temps composés	Hier soir, Paul **n'est pas sorti**. Je **n'ai pas vu** ce film.
Avec un verbe conjugué + infinitif	Je **ne vais pas rentrer** tard. Il **ne peut pas comprendre**.

1 Associez les questions aux réponses.

1. Vous prenez une tasse de thé ? •
2. Vous voulez un expresso ? •
3. Tu prends un peu de gâteau ? •
4. Je vais faire les courses, tu viens ? •
5. Vous désirez une entrecôte ? •
6. Tu prends la voiture de tes parents ? •
7. Vous venez au parc avec nous ? •

• a. Non, merci, je ne mange pas de viande.
• b. Non, merci, je ne veux pas de dessert.
• c. Non, je n'ai pas envie de sortir.
• d. Non, merci, je ne bois pas de café.
• e. Non, je n'aime pas faire les magasins.
• f. Non, merci, je n'aime pas le thé.
• g. Impossible, je n'ai pas le permis de conduire.

2 Répondez de façon négative.

Ex. : Jeter les papiers par terre, c'est propre ? – Non, ce n'est pas propre.

1. Téléphoner au volant de sa voiture, c'est admis ? – ....

2. Faire du jogging dans les rues, c'est interdit ? – ....

3. Rouler à vélo sur l'autoroute, c'est autorisé ? – ....

4. Amener un chien dans une boulangerie, c'est accepté ?

   – ....

5. Stationner sa voiture devant un commissariat, c'est toléré ?

   – ....

6. Mettre les pieds sur les sièges dans les transports publics, c'est permis ?

   – ....

3 **Sarah a vécu des moments difficiles. Mettez dans l'ordre.**

1. pas / sa famille / voir / voulait / Elle / ne

   ....

2. à ses collègues / Elle / pas / ne / habituait / s'

   ....

3. voulaient / Ses copains / pas / appeler / ne / l'

   ....

4. n' / le moral / Elle / pas / avait

   ....

5. s' / ne / Elle / occupait / de ses parents / pas

   ....

6. concentrer / Elle / se / pouvait / ne / pas

   ....

7. voulait / l'aide / pas / ne / de son mari / accepter / Elle

   ....

4 **Luc a passé un dimanche très reposant. Répondez de façon négative aux questions sur ses activités.**

Ex. : Tu es sorti dimanche dernier ? – Non, je ne suis pas sorti dimanche dernier.

1. Tu as fait le ménage ? – .... le ménage.

2. Tu as regardé la télévision ? – .... la télévision.

3. Tu as lu ? – ....

4. Tu t'es promené ? – ....

5. Tu es allé au cinéma ? – .... au cinéma.

6. Tu t'es entraîné pour le marathon ? – .... pour le marathon.

5 **Dites le contraire.**

Ex. : Je peux venir avec vous. → Je ne peux pas venir avec vous.

1. Il veut sortir ce soir. → ....

2. J'aime danser le rock. → ....

3. Elle veut partir en avion. → ....

4. Vous allez rentrer en autostop ? → ....

5. Je pense rester à la maison. → ....

6. Ils peuvent rester jusqu'à dimanche. → ....

B *Ne ... rien, rien ne ..., ne ... personne, personne ne ...*

rien ne ... personne ne ...	La négation est sujet du verbe.	**Quelque chose** est arrivé ? – Non, **rien n'**est arrivé. **Quelqu'un** t'a vu ? – Non, **personne ne** m'a vu. **Tout le monde** travaille ? – Non, **personne ne** travaille.
ne ... rien ne ... personne	La négation est complément direct du verbe.	Elle a acheté **quelque chose** ? – Non, elle **n'**a **rien** acheté. Il comprend **tout** ? – Il **ne** comprend **rien**. Tu as invité **quelqu'un** ? – Non, je **n'**ai invité **personne**.

6 **Mettez dans l'ordre.**

Ex. : aimé / n' / Personne / a
Personne n'a aimé.

1. ne / passé / Rien / est / s' ....

2. rien / compris / n' / On / a ....

3. Il / rien / a / acheté / n' ....

4. personne / Tu / as / n' / croisé ....

5. dit / Elle / a / n' / rien ....

6. est / gratuit / n' / Rien ....

7. venu / n' / avec moi / Personne / est ....

8. Vous / personne / n' / entendu / avez / ? ....

9. hier / Nous / n' / aperçu / personne / avons ....

7 **Remplacez *ces gens* par *personne*.**

Ex. : Ces gens ne me parlent pas.
→ Personne ne me parle.

1. Je ne vois pas ces gens. → ....

2. Ces gens ne nous connaissent pas. → ....

3. Ces gens ne m'invitent pas. → ....

4. On ne reconnaît pas ces gens. → ....

5. Ces gens ne m'écoutent pas. → ....

6. Nous ne détestons pas ces gens. → ....

7. Vous ne recevez pas ces gens. → ....

8. Ils ne respectent pas ces gens. → ....

9. Ces gens ne t'observent pas. → ....

8 **Répondez de façon négative.**

1. Vous avez photographié quelque chose ? – Non, je n'ai rien photographié.

2. Vous êtes venu avec quelqu'un ? – ....

3. Quelque chose vous a déçu ? – ....

4. Vous avez acheté quelque chose à la boutique ? – ....

5. Quelque chose vous a choqué ? – ....

6. Vous avez ressenti quelque chose ? – ....

7. Quelqu'un vous accompagnait ? – ....

8. Vous avez discuté avec quelqu'un ? – ....

9. Quelqu'un vous a dérangé ? – ....

9 **Complétez avec *il y a quelqu'un, il n'y a personne, il y a quelque chose* ou *il n'y a rien*.**

Chez le médecin

– Est-ce qu'il y a quelqu'un avec le docteur Mongenot ?

– Non, ... **(1)**. Asseyez-vous, le docteur va vous recevoir.

Projet de sortie

– .... **(2)** à voir au cinéma ?

– Non, en ce moment, ... **(3)** d'intéressant. Pourtant, ...

.... **(4)** qui m'a parlé d'un nouveau film avec Omar Sy, tu en as entendu parler ?

Au bureau

– .... **(5)** pour moi ? Un message ?

– Non monsieur, ... **(6)** pour vous, pas de message. Mais ....

.... **(7)** qui a téléphoné pour parler au directeur.

10 **Damien fait le portrait de son frère. Dites le contraire.**

Ex. : Tout le monde l'aime.   Personne ne l'aime.

1. Il s'intéresse à tout.   ....

2. Tout le monde l'admire.   ....

3. Il parle à tout le monde.   ....

4. Tout lui plaît.   ....

5. Il comprend tout.   ....

6. Tout le monde le trouve sympathique.   ....

7. Tout le rend heureux.   ....

C *Ne ... jamais, ne ... plus, ne ... pas encore*

ne ... jamais	Au petit-déjeuner, je **ne prends jamais** de café, je préfère boire du thé.
ne ... plus	Avant il voyageait énormément, maintenant, c'est fini, il **ne voyage plus**.
ne ... pas encore	– Tu connais des musées à Paris ? – Non, je **n'ai pas encore** eu le temps de me promener.

11 **Deux personnes comparent leurs directeurs. Transformez avec *ne ... jamais*.**

(1) Mon directeur écoute toujours ses employés. **(2)** Il arrive toujours avant eux. **(3)** Il a toujours de nouveaux projets. **(4)** Il est toujours aimable. **(5)** Il prend toujours le temps de parler avec le personnel. **(6)** Il discute toujours avant les décisions importantes. **(7)** Il accepte toujours d'étudier les suggestions.

Eh bien, moi, mon directeur, c'est tout le contraire :

1. Il n'écoute jamais ses employés.

2. .... avant eux.

3. .... de nouveaux projets.

4. .... aimable.

5. .... le temps de parler avec le personnel.

6. .... avant les décisions importantes.

7. .... d'étudier les suggestions.

12 **Deux amis se souviennent de Brice, leur ami commun. Complétez avec *ne ... plus*.**

– Tu te souviens de Brice ? Je l'ai revu la semaine dernière !

– Il habite toujours à La Rochelle ?

– Non, il n'habite plus à La Rochelle.

– Et il a encore sa grosse voiture ?

– Non, ... **(1)** de voiture, il a un vélo électrique.

– Est-ce qu'il fait toujours du rugby ?

– Non, ... **(2)** de sport du tout !

– Et Karine, il est toujours avec elle ?

– Non, ... **(3)** avec elle, il est avec Émilie.

– Et, est-ce qu'il travaille encore à la banque Dugain ?

– Pas du tout, ... **(4)** dans cette banque !

– Il a complètement changé, alors ! Et sa barbe ?

– Même chose, ... **(5)** de barbe, c'était difficile de le reconnaître !

13 **Mettez dans l'ordre.**

Ex. : encore / suis / pas / à / Je / partie / l'étranger / seule / ne

Je ne suis pas encore partie seule à l'étranger.

1. Il / encore / n' / voté / a / pas

....

2. pas / Elle / a / encore / n' / travaillé

....

3. d'argent / pas / Je / gagne / ne / encore

....

4. n' / de voiture / encore / Nous / avons / pas

....

5. Elles / pas / n' / d'appartement / encore / ont

....

6. es / encore / pas / Tu / en discothèque / sorti / n'

....

7. avons / de téléphone portable / n' / Nous / encore / pas

....

8. encore / Il / n' / pas / d'enfants / a

....

14 **Deux collègues, Arnaud et Christophe, parlent des difficultés qu'ils ont avec M. et Mme Bigard. Complétez avec *ne ... jamais, ne ... plus, ne ... pas encore*.**

– Christophe, tu as le dossier de madame Bigard ?

– Non, je ne l'ai pas encore reçu. Tu sais, c'est difficile avec elle, elle .... respecte

.... **(1)** les délais. Et je .... veux .... **(2)** lui téléphoner :

elle .... répond .... **(3)** !

– Et tu as des nouvelles de son mari ?

– Non, je .... ai .... **(4)** d'informations, c'est un peu tôt.

– On fait quoi alors ? On .... attend .... **(5)** madame Bigard, c'est fini !

Et on .... connaît .... **(6)** la décision de son mari, il réfléchit. C'est la catastrophe,

on .... sera .... **(7)** prêts !

– On .... sait .... **(8)**, madame Bigard .... a .... répondu **(9)**, mais elle peut encore

nous surprendre.

BILAN

1 **Soulignez la réponse correcte.**

1. À qui est-ce que vous avez parlé ? – *À personne. / À rien.*

2. Il a déjà le droit de voter ? – *Non, jamais. / Non, pas encore.*

3. Vous buvez quelque chose ? – *Non, personne. / Non, rien.*

4. Tu vas la revoir ? – *Non, plus jamais. / Non, pas encore.*

5. Il y a quelque chose qui te plaît ? – *Non, rien. / Non, jamais.*

6. Tu as déjà vu ce film ? – *Non, pas encore. / Non, plus.*

7. Quelqu'un l'accompagne ? – *Non, rien. / Non, personne.*

2 **🎧 12 Écoutez et indiquez si vous entendez une affirmation ou une négation.**

	1	2	3	4	5	6	7	8	9	10
Affirmation										
Négation										

3 **Un suspect répond de façon négative aux questions de l'inspecteur de police. Complétez leur conversation.**

– Est-ce que vous étiez chez vous jeudi dernier ?

– Non, ... **(1)** chez moi jeudi dernier. J'étais sorti.

– Vous étiez avec quelqu'un ?

– Non, ... **(2)**.

– Quelqu'un vous a vu ?

– Non, ... **(3)**. Je me suis promené seul.

– Vous avez pris le bus ?

– Non, ... **(4)** le bus.

– Et vous êtes rentré tard ?

– Non, ... **(5)** tard. Il était environ 19 heures.

– Il y avait quelqu'un chez vous à ce moment-là ?

– Non, ... **(6)** chez moi à ce moment-là.

– Les voisins ont entendu quelque chose ?

– Non, ils .... **(7)**.

– Avez-vous quelque chose à ajouter ?

– .... à ajouter **(8)**.

4 Transformez la critique positive de ce film en critique négative.

http://www.cine-film.fr/

CINÉ-FILM Accueil Sorties Critiques Bande-annonces

L'Odyssée de la Planète : pour ou contre ?

POUR ! @grandekran J'ai adoré ! *Tout est* vrai dans ce film. Le film *donne toujours* l'impression de vivre réellement une odyssée. Dès le début, on *attend quelque chose* de fantastique.

Les images *sont* puissantes. Ce style de cinéma *est encore apprécié* par toutes les générations. *Tout le monde va aimer* les acteurs principaux. Ce film *va devenir* une référence de l'histoire du cinéma !

CONTRE ! @phil12 J'ai détesté ! .... vrai dans ce film. Le film .... l'impression de vivre réellement une odyssée. Dès le début, on .... de fantastique.

Les images .... puissantes. Ce style de cinéma .... par toutes les générations. .... les acteurs principaux. Ce film .... une référence de l'histoire du cinéma !

un film de
Gilles Cauffier

**L'ODYSSÉE
de la
PLANÈTE**

5 Complétez les textos avec une négation. Plusieurs réponses sont possibles.

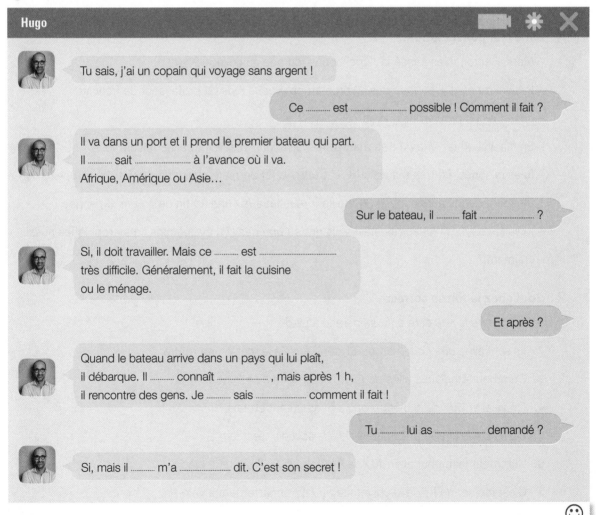

Hugo

Tu sais, j'ai un copain qui voyage sans argent !

Ce .... est .... possible ! Comment il fait ?

Il va dans un port et il prend le premier bateau qui part.
Il .... sait .... à l'avance où il va.
Afrique, Amérique ou Asie…

Sur le bateau, il .... fait .... ?

Si, il doit travailler. Mais ce .... est ....
très difficile. Généralement, il fait la cuisine
ou le ménage.

Et après ?

Quand le bateau arrive dans un pays qui lui plaît,
il débarque. Il .... connaît .... , mais après 1 h,
il rencontre des gens. Je .... sais .... comment il fait !

Tu .... lui as .... demandé ?

Si, mais il .... m'a .... dit. C'est son secret !

6 L'article

> Pour énumérer des choses
> Pour donner une précision

> Pour donner une instruction
> Pour indiquer un itinéraire

A Les articles définis, indéfinis et partitifs

Articles indéfinis	un, une, des	Ma voisine a **un** chien, **une** chatte et **des** perroquets.
Articles définis	le, la, l', les	J'aime bien **le** chien, **la** chatte et **les** perroquets de ma voisine.
Articles définis contractés	au, aux du, des	Elle habite **au** premier étage, en face **du** jardin.
Articles partitifs	du, de la, de l'	Ses animaux font **du** bruit. Ils boivent **de l'**eau et mangent **de la** viande.

1 **Mme Legrand et son fils Hector parlent d'un problème scolaire. Entourez l'article correct dans leur conversation.**

– Alors, Hector, tu as passé *la /* ⟨*une*⟩ bonne journée au collège ?

– Pas vraiment. J'ai eu *les / des* **(1)** problèmes avec *le / les* **(2)** professeur de français.

– *Les / Des* **(3)** problèmes graves ?

– En fait, j'ai eu *la / une* **(4)** très mauvaise évaluation : « travail très insuffisant ».

– Tu as raison, c'est très mauvais ! C'est *une / la* **(5)** dernière évaluation avant *l' / un* **(6)** examen ?

   J'espère que tu auras *un / le* **(7)** meilleur résultat à *la / une* **(8)** fin de *l' / une* **(9)** année !

– Tu sais, *des / les* **(10)** autres élèves, ils ont eu *un / des* **(11)** évaluations catastrophiques aussi.

– Vraiment ?

2 **Soulignez la forme correcte.**

1. Je vais *de la / du* gare *à l' / au* bureau à pied.

2. Ils sont allés *des / du* Champs-Élysées *aux / à la* maison en métro.

3. Comment êtes-vous allés *de l' / du* aéroport *à l' / à le* hôtel ?

4. On va aller *du / de la* théâtre *au / à l'* restaurant en taxi.

5. *De l' / De la* entrée principale *à l' / à la* accueil, c'est loin !

6. Comment faire pour aller *du / de l'* hôtel *à la / à l'* opéra, à pied ?

7. C'est rapide, *de l' / de la* université *au / à l'* appartement à vélo ?

8. On va facilement *de la / du* gare *au / aux* grands magasins en bus.

3 **Complétez le dialogue entre une vendeuse et une cliente avec un article défini ou indéfini.**

– Bonjour madame, je cherche des chaussures noires pour une cérémonie.

– Vous avez vu quelque chose dans .... **(1)** vitrine ?

– Oui, vous avez .... **(2)** modèle qui me plaît beaucoup.

– Vous pouvez me montrer ?

– Regardez, ... **(3)** chaussures noires plates, au milieu.

– Vous faites quelle pointure ?

– Du 38 ou du 39, ça dépend.

– Voilà. .... **(4)** style est élégant, vous ne trouvez pas ?

– Oui, tout à fait. Et elles me vont très bien. Elles sont à combien ?

– 85 euros, mais en ce moment, il y a .... **(5)** réduction de 15 %. Et nous avons

aussi .... **(6)** collants magnifiques, c'est .... **(7)** nouvelle collection d'hiver.

Ça vous intéresse ?

– Oui, je cherche toujours .... **(8)** collants originaux. Je vais prendre ces deux-là.

– Vous voulez garder .... **(9)** boîte des chaussures ?

– Non, ce n'est pas nécessaire. Vous acceptez .... **(10)** paiements par chèque ?

– Non, désolée. Mais nous acceptons .... **(11)** carte de crédit et .... **(12)** espèces,

bien sûr.

– Très bien. Combien coûtent .... **(13)** chaussures et .... **(14)** collants de .... **(15)**

nouvelle collection ?

– 135 euros au total.

4 **Complétez ces indications avec *du, de l', de la, des, au, à la, à l', aux*.**

1. Du début .... fin.

2. .... première page .... dernière page.

3. .... introduction .... conclusion.

4. .... exercice 2 .... exercice 4.

5. .... paragraphe 3 .... paragraphe 7.

6. .... activité A .... activité E.

7. .... niveau A1 .... niveau B2.

8. .... premiers chapitres .... derniers chapitres.

9. .... dossier 1 .... dossier 4.

5 **Pedro parle de sa recherche d'appartement à son amie Rosalie. Complétez avec un article défini (contracté ou non) ou un article indéfini.**

– Je cherche un studio depuis .... **(1)** mois dernier et je ne trouve rien !

– Tu as regardé .... **(2)** annonces sur .... **(3)** site Internet de la ville ?

– Oui. Il y a seulement .... **(4)** maisons ou .... **(5)** appartements trop grands pour moi !

– Tu peux aller dans .... **(6)** agence immobilière ou encore demander .... **(7)** gardien

de mon immeuble. Je crois qu'il y a .... **(8)** studio à louer .... **(9)** dernier étage.

– Je voudrais changer de quartier ! Je cherche .... **(10)** quartier plus calme, et près

.... **(11)** métro.

6 **Choisissez et complétez les énumérations avec un article partitif.**

~~farine~~ • papier • encre • eau • sel • colle • poivre • inspiration • patience • fromage

1. Pour faire une pizza, il faut de la farine, ...

2. Pour faire un livre, il faut ....

7 **Aline donne des précisions sur ses habitudes au petit-déjeuner. Complétez avec un article défini, indéfini ou partitif.**

Moi, je mange du pain à tous .... **(1)** repas, souvent .... **(2)** pain blanc mais

parfois .... **(3)** pain noir. .... **(4)** matin, j'achète .... **(5)** baguette et

je fais .... **(6)** tartines avec .... **(7)** beurre et .... **(8)** confiture.

Souvent, je mange aussi .... **(9)** fromage ou .... **(10)** charcuterie.

Je prends aussi .... **(11)** boisson chaude, généralement .... **(12)** café serré.

Et je bois .... **(13)** jus d'orange ou simplement .... **(14)** eau.

8 **Deux amies parlent d'un film. Entourez les articles corrects.**

– Tu connais « Les / Un enfants de la / du paradis » ?

– Non, qu'est-ce que c'est ?

– C'est le / un **(1)** très beau film, un grand film classique avec les / des **(2)** acteurs fabuleux.

Il y a des / aux **(3)** scènes magnifiques. C'est la / une **(4)** très belle histoire. J'aime des / les **(5)** films

comme ça, avec de l' / l' **(6)** émotion, avec les / des **(7)** sentiments, ils sont inoubliables !

– Oui, les / un **(8)** beaux films, c'est assez rare. Écoute, ne me raconte pas une / l' **(9)** histoire,

je vais aller du / au **(10)** cinéma.

– Un / Le **(11)** problème est que c'est le / un **(12)** très vieux film en noir et blanc.

Mais j'ai le / du **(13)** film chez moi. On le regarde le / un **(14)** soir ?

9 **Guy parle de ses activités habituelles. Complétez avec un article défini (contracté ou non), indéfini ou partitif.**

1. Le lundi, je vais au concert, il y a .... salle en face .... bureau.

2. Le mardi, je fais .... squash, je vais .... club de gym.

3. Le mercredi, je vais .... cinéma, j'adore .... comédies.

4. Le jeudi, j'écoute .... radio ou je vais .... opéra.

5. Le vendredi, je vais .... restaurant, souvent avec .... collègues.

6. Le samedi, je vais .... courses de chevaux, parfois je gagne .... argent !

7. Le dimanche, je vais .... piscine, à côté de .... maison.

8. Et je vais tous les jours .... bureau, sauf .... week-end !

B L'absence d'article

Dans une phrase négative Excepté avec *ce n'est pas* et *ce ne sont pas*	Tu as **une** serviette ? – Non, je **n'**ai **pas de** serviette. Tu prends **du** sucre ? – Non, je **ne** prends **pas de** sucre. **Ce n'est pas une** boisson sucrée. **Ce n'est pas du** lait. **Ce ne sont pas des** repas équilibrés.
Après une expression de quantité un peu de/d', beaucoup de/d'... un kilo de/d', un bouquet de/d'...	J'ai des amis anglais, **un groupe d'**amis. Ils boivent du thé, **beaucoup de** thé.
nom + *de* + nom (quand le deuxième nom qualifie le premier)	une serviette **de** table, une serviette **de** toilette une carte **d'**étudiant, une carte **de** crédit une salle **de** concert, une salle **d'**attente

10 **Alice et Clémence sont deux sœurs très différentes. Mettez à la forme négative.**

Ex. : Alice prépare un examen, mais Clémence ne prépare pas d'examen.

1. Alice a du travail, mais Clémence ....

2. Clémence fait de la pâtisserie, mais Alice ....

3. Clémence regarde un film, mais Alice ....

4. Alice a un rendez-vous, mais Clémence ....

5. Clémence invite des amis, mais Alice ....

6. Clémence organise une grande fête, mais Alice ....

7. Alice fait du sport, mais Clémence ....

8. Clémence a une voiture, mais Alice ....

11   **Ronan doit faire un régime et demande ce qu'il peut manger. Complétez les réponses négatives du médecin.**

Docteur, est-ce que je peux...

Ex. : boire du soda ?   – Non, ne buvez pas de soda !

1.   mettre du sel ?   – Non, ne mettez ....

2.   ajouter du sucre ?   – Non, n'ajoutez ....

3.   manger de la crème fraîche ?   – Non, ne mangez ....

4.   consommer des œufs ?   – Non, ne consommez ....

5.   prendre du café ?   – Non, ne prenez ....

6.   manger des frites ?   – Non, ne mangez ....

7.   ajouter du beurre ?   – Non, n'ajoutez ....

Mais qu'est-ce que je peux manger alors ?!

12   **Complétez ces dialogues avec *pas le, pas la, pas des, pas de* ou *pas une*.**

Ex. : – Allô ? Je suis bien au 01 40 45 72 02 ?

   – Ah, non, ce n'est pas le bon numéro.

   – Oh, excusez-moi.

1.   – On va en boîte, ce soir ?

   – Non, ce n'est .... bonne idée. On doit se lever tôt demain.

2.   – Ne prends .... café noir, ajoute du lait.

   – Mais, je n'aime .... lait !

3.   – Je ne vois .... boîte à sucre, tu sais où elle est ?

   – Regarde dans le placard de droite !

   – Il n'y a .... boîte du tout !

4.   – Vous avez des biscuits, s'il vous plaît ?

   – Devant vous, là, ce ne sont .... biscuits ?

   – Oui, mais ils sont au citron. Vous n'avez .... biscuits au chocolat ?

   – Non, je regrette, nous n'avons .... biscuits au chocolat !

5.   – Je n'ai .... monnaie pour payer le métro.

   – Tu n'as .... carte de crédit ?

   – Non, je l'ai oubliée. Je n'ai .... chance aujourd'hui !

6.   – Est-ce que tu peux m'aider pour mon examen ?

   – Demain, car aujourd'hui, je n'ai .... temps.

13 **Complétez ce dialogue entre un chef cuisinier et son apprenti.**

– Chef, j'ai complètement raté mon omelette !

– Tu as mis beaucoup d'œufs ?

– Oui, dix pour quatre personnes.

– C'est un peu trop, mais pourquoi pas. Tu as ajouté trop .... **(1)** sel, peut-être ?

– Non, en réalité, il n'y avait pas assez .... **(2)** sel.

– Du poivre ?

– Très peu .... **(3)** poivre.

– Et un peu .... **(4)** eau ?

– Non, j'ai mis un peu .... **(5)** lait et un peu .... **(6)** crème fraîche. C'est meilleur.

– Alors, je ne comprends pas.

14 **Transformez comme dans l'exemple.**

Ex. : Dans ce cahier, il y a des exercices. ➔ C'est un cahier d'exercices.

1. Dans ce sac, il y a des pommes de terre. ➔ C'est ....

2. Dans ce verre, il y a du jus de fruit. ➔ C'est ....

3. Dans cette bouteille, il y a de l'eau. ➔ C'est ....

4. Dans cette boîte, il y a de l'aspirine. ➔ C'est ....

5. Dans ce paquet, il y a des mouchoirs. ➔ C'est ....

6. Dans ce panier, il y a des légumes frais. ➔ C'est ....

15 **Mettez dans l'ordre.**

Ex. : de / ne / oublier / Je / mes lunettes / pas / dois / soleil
Je ne dois pas oublier mes lunettes de soleil.

1. n' / train / validé / votre billet / avez / de / Vous / pas

....

2. a / son chapeau / soleil / sa serviette / Elle / de / perdu / de / bain / et

....

3. crédit / des billets / une carte / de / On / banque / et / a / de

....

4. réservé / Ils / une chambre / de / ont / des places / hôtel / et / concert / d'

....

5. mais / un gros sac / pas / voyage / de / Nous / nos chaussures / marche / de / avons / n'

....

BILAN

❶ Complétez cette offre d'emploi.

Nous recherchons un candidat ou une candidate avec .... **(1)** expérience, beaucoup

.... **(2)** dynamisme, ... **(3)** volonté, ... **(4)** motivation, beaucoup .... **(5)** courage et

.... **(6)** enthousiasme et assez .... **(7)** patience pour travailler avec un public difficile.

❷ 🎧13 Écoutez et indiquez ce que vous entendez.

	1	2	3	4	5	6	7	8	9	10
Article défini										
Article indéfini										
Article défini contracté										
Pas d'article										

❸ Cédric et Louis sont en voiture. Il y a beaucoup de circulation. Entourez l'article correct.

– Louis, on n'avance pas !

– Il y a *un / l'* **(1)** accident. La radio annonce dix kilomètres *d' / des* **(2)** embouteillages. On n'a pas

  de / de la **(3)** chance.

– Bon, je m'arrête à la prochaine station service. Je vais prendre *de la / de l'* **(4)** essence et acheter

  une / des **(5)** jus de fruits, *des / les* **(6)** gâteaux, ou quelques paquets *des / de* **(7)** biscuits secs.

– On n'a plus beaucoup *d' / de l'* **(8)** eau, tu peux acheter *une / de la* **(9)** grande bouteille ?

– D'accord. Oh regarde, il y a beaucoup *de / du* **(10)** monde devant la pompe à essence !

  La file d'attente va *de la / de l'* **(11)** entrée *à la / au* **(12)** pompe.

❹ Grégoire et Ali parlent de leurs sorties culturelles. Complétez avec l'article correct.

– Tu viens avec moi .... **(1)** théâtre ?

– Voir quoi ?

– .... **(2)** dernière pièce d'Olivier Py. Ce n'est pas .... **(3)** chef-d'œuvre, mais .... **(4)** acteurs

  sont excellents.

– Tu n'as pas .... **(5)** autres idées ? Je n'aime pas beaucoup .... **(6)** théâtre moderne.

– Et .... **(7)** art contemporain ?

– Je ne vais pas souvent .... **(8)** musée. Je n'ai pas vu beaucoup .... **(9)** expositions dans

  ma vie. Mais j'adore .... **(10)** peintres impressionnistes. Un jour, je suis allé à .... **(11)**

  exposition à Londres et j'ai beaucoup aimé, ... **(12)** premier .... **(13)** dernier tableau !

– Alors, allons .... **(14)** musée d'Orsay. Il y a une quantité incroyable .... **(15)** peintures

  impressionnistes !

BILAN

5 Manon et Coralie échangent sur leurs vacances. Complétez leurs méls avec les articles.

De : manon64@mail.net
À : coralie@e-courrier.fr
Objet : Retour de Turquie

Coucou,

Tu vas bien ? ☺ Comment se sont passées .... vacances ? Est-ce que tu es partie

avec Léo ?

Nous, nous sommes contents de notre séjour en Turquie ! Nous avons passé ....

semaine en Cappadoce. Nous avons vu .... paysages magnifiques et rencontré

.... gens très gentils. On a fait .... randonnées et .... enfants ont fait

.... cheval. Nous avons dormi dans .... hôtels pleins de charme, il n'y avait

pas beaucoup .... confort , mais c'était sympa. Nous avons apprécié la cuisine :

.... plats souvent simples mais bons. Ensuite, nous sommes allés .... bord

.... mer parce que .... plages sont merveilleuses. Pour finir, nous sommes allés

à Istanbul : c'est .... ville magique !

À bientôt !

Bisous,

Manon

De : coralie@e-courrier.fr
À : manon64@mail.net
Objet : Re : Retour de Turquie

Salut Manon,

Merci pour .... récit de vos vacances ! Pour nous, ... vacances

cette année ont été courtes. Léo a fait .... chute pendant .... randonnée

dans .... Alpes.

À très bientôt pour d'autres détails !

Coralie

7 L'adjectif qualificatif

❯ Pour caractériser une chose ❯ Pour décrire un lieu
❯ Pour faire le portrait d'une personne ❯ Pour exprimer une opinion

A L'adjectif : le masculin et le féminin, le singulier et le pluriel

	Formation du féminin	Formation du pluriel
Règle générale	masculin + **e** : haut / haut**e**	singulier + **s** : simple / simple**s**
Autres cas	• même forme pour les adjectifs en **-e** : facile / facile • la consonne finale double : italie**n** / italie**nne** • la syllabe finale change : v**if** / v**ive**, premi**er** / premi**ère**, fam**eux** / fam**euse** • la forme est différente : fou / folle, beau / belle, grec / grecque…	• même forme pour les adjectifs en **-s** ou **-x** : frais / frais, peureux / peureux • adjectifs en **-al** ➜ **-aux** : norm**al** / norm**aux** • adjectifs en **-eau** ➜ **-eaux** : beau / b**eaux**

1 **Transformez la description de Marlène et de son mari pour décrire Adama et sa femme.**

• Marlène est une jeune femme grande **(1)**, brune **(2)**, active **(3)**, sérieuse **(4)**, cultivée **(5)** mais aussi douce **(6)**, sentimentale **(7)**. Son mari est roux **(8)**, sportif **(9)**, dynamique **(10)**, ambitieux **(11)**, mais aussi gentil **(12)**, sensible **(13)** et travailleur **(14)**.

• Adama est un jeune homme .... **(1)**, ... **(2)**, ... **(3)**,

.... **(4)**, ... **(5)** mais aussi .... **(6)**, ... **(7)**,

Sa femme est .... **(8)**, ... **(9)**, ... **(10)**,

.... **(11)**, mais aussi .... **(12)**, ... **(13)**

et .... **(14)**.

2 🎧 14 **Écoutez et indiquez si vous entendez le masculin ou le féminin.**

Ex. : « charmante »

	Ex.	1	2	3	4	5	6	7	8	9	10
Masculin											
Féminin	✔										

3 **Accordez les adjectifs.**

Ex. : La cuisine indienne *(indien)* utilise beaucoup de curry.

1. La pizza est une spécialité .... *(italien)* très .... *(célèbre)*.

2. L'ouzo est une boisson .... *(grec)* qui se boit avec de l'eau .... *(frais)*.

3. Les poissons .... *(cru)* sont une spécialité .... *(japonais)*.

4. Les croissants .... *(français)* sont .... *(connu)* dans le monde entier.

5. Le gaspacho est une soupe .... *(espagnol)* qui est servie .... *(froid)*.

4 **Accordez les adjectifs.**

1. Chaque année, beaucoup de nouveaux *(nouveau)* magazines sont lancés, certains sont

très .... *(beau)* et très .... *(original)*.

2. Les journaux .... *(régional)* sont très populaires en France.

3. Les publications .... *(municipal)* sont gratuites.

4. *Libération*, *Le Monde* et *Le Figaro* sont des quotidiens .... *(national)*.

5. Les événements .... *(heureux)*, mariages et naissances, sont annoncés

dans le journal .... *(local)*.

B **La place de l'adjectif**

Règle générale	L'adjectif est placé **après le nom**.	une **voiture** confortable une **invention** coréenne
Certains adjectifs sont placés avant le nom	• petit, grand, beau, bon, jeune, vieux, gros, joli, mauvais, meilleur, long • premier, deuxième… dernier	un **petit** appareil la **dernière** nouveauté le **vingt-et-unième** siècle

(!) *Dernier* peut être placé après le nom. **Ex. :** *Le mois* ***dernier*** = le mois qui précède le mois actuel.

---

5 **Décrivez Rémi et Céline avec un adjectif de la liste à la forme correcte.**

bleu • blond • rond • petit • ~~sympathique~~

Rémi est un garçon sympathique **(1)**. Il porte une .... **(2)** moustache et a une tête toute

.... **(3)**. Ses yeux .... **(4)** et ses cheveux .... **(5)** me rappellent son père.

bleu • brun • carré • gros

Sa sœur, Céline, a les cheveux .... **(6)** et des yeux .... **(7)** comme sa mère.

Mais elle a un visage .... **(8)** et un .... **(9)** nez comme son père.

6 **Placez correctement les adjectifs.**

Ex. : Le grand huit *(grand)*.

1. Les .... montagnes .... *(russes)*.

2. Le .... château .... *(hanté)*.

3. La .... roue .... *(grande)*.

4. La .... forêt .... *(enchantée)*.

5. La .... rivière .... *(sauvage)*.

6. Le .... train .... *(petit)*.

7. Les .... manèges .... *(rapides)*.

7 **Nora décrit son appartement. Mettez dans l'ordre.**

Ex. : J' / un / lumineux / habite / dans / appartement
J'habite dans un appartement lumineux.

1. quatrième / au / Il / étage / se trouve ....

2. porte / la / dernière / à droite / C'est ....

3. cuisine / une / Il y a / petite ....

4. chambres / Il y a / jolies / trois ....

5. bien décoré / grand / Le / salon / est ....

6. quartier / Il / beau / est situé / dans / un ....

7. un / idéal / C'est / appartement / famille / grande / une / pour

....

8 **Placez correctement les adjectifs et accordez.**

Vous avez vu ma fille ?

– Excusez-moi, monsieur, vous n'avez pas vu

une petite fille blonde *(petit – blond)* avec

un .... manteau .... **(1)** *(noir)* ?

– Si, regardez, là, à côté de la ....

.... porte .... **(2)**

(gris – grand) !

> *Beau, nouveau, vieux* deviennent *bel,*
> *nouvel, vieil* devant un nom masculin qui
> commence par une voyelle ou un *h* muet.
> **Ex. :** *un **vieux** bâtiment – un **vieil** immeuble.*

Tu as une bonne mémoire ?

– Tu te souviens de ton .... bal .... **(3)** *(premier)*, grand-mère ?

– Oui, ce soir-là, je portais une .... robe .... **(4)** *(blanc)* et surtout, j'étais avec

un très .... homme .... **(5)** *(beau)* : ton grand-père !

Vous avez cet album ?

– Madame, s'il vous plaît, vous avez le .... album .... **(6)** *(nouveau)* de

Christophe Mae ?

– Oui, regardez dans le .... meuble .... **(7)** *(blanc – deuxième)*, toutes

nos nouveautés sont là.

Tu connais ces légumes ?

– Éric, tu connais ces .... légumes .... **(8)** *(petit – vert)* ?

– Je pense que ce sont des haricots.

– Et ces .... légumes .... **(9)** *(gros – rouge)* ?

– Ce sont des poivrons !

9 **Associez et recopiez avec l'adjectif à la place correcte.**

1. deux poupées •	• a. vieux	1. deux vieilles poupées
2. un train électrique •	• b. vieil	2. ....
3. un ours en peluche •	• c. vieille	3. ....
4. une balançoire •	• d. vieilles	4. ....
5. trois tableaux •	• e. beau	5. ....
6. une lampe •	• f. bel	6. ....
7. un tapis •	• g. belle	7. ....
8. un accordéon •	• h. beaux	8. ....

10 **Un groupe de touristes écoute les explications du guide. Entourez la forme correcte des adjectifs *beau, nouveau, vieux.***

Devant vous, vous pouvez voir une très vieille / vieil église du 12ᵉ siècle. À côté, ce *vieux / vieil* **(1)**

bâtiment est la première gare de la ville. Derrière, vous avez la *nouvelle / nouvel* **(2)** école qui

est située dans un parc plein de *beaux / belles* **(3)** arbres centenaires. Plus loin, sur la place

du *vieux / vieil* **(4)** marché, il y a le *nouvel / nouveau* **(5)** hôpital. Comme vous le voyez, c'est

un *beau / bel* **(6)** immeuble moderne qui s'intègre très bien dans notre *belle / bel* **(7)** ville.

BILAN

1 Comment sont ces personnes ? Classez les adjectifs.

actifs • bavard • blond • courageuse • cultivée • discrets • distraite • douce • dur •
géniaux • grandes • naturel • nerveuses • bruns • souriantes • marseillaises

Mon amie Myriam	Mon ami Arnaud	Mes amis Farid et Soraya	Mes amies Magali et Rose
....	....	....	....
....	....	....	....
....	....	....	....
....	....	....	....

2 Barrez l'intrus.

1. belle – patiente – nouvelle

2. heureux – nerveux – agréables

3. naïve – jolie – sportive

4. bleue – verte – rouge

5. danoise – malienne – mexicaine

6. forts – épicés – mauvais

3 Afsatou raconte les souvenirs de son voyage avec des amis. Complétez.

1. On a loué une .... voiture .... (gros – américaine).

2. On a visité cinq .... bâtiments .... (original – vieux).

3. On a pris des .... chemins .... (petit – tranquille).

4. On a habité dans une .... maison .... (joli – bleu).

5. On a goûté dix .... soupes .... (bon – chinois).

6. On a fait une .... découverte .... (premier – fascinant).

4 Complétez le début de ce conte de fée avec les adjectifs.

1. Il était une fois trois .... princesses .... (beau – blond).

2. Elles aimaient trois .... garçons .... (jeune – sympathique).

3. La première avait deux .... sœurs .... (jaloux).

4. La deuxième avait une .... belle-mère .... (autoritaire).

5. La troisième avait une .... tante .... (vieux).

Chacune des trois possédait des animaux de compagnie :

6. Amélie possédait dix .... oiseaux .... (joli – multicolore).

7. Bélise possédait quatre .... chatons .... (gris – petit).

8. Chloé possédait deux .... chevaux .... (grand – blanc).

9. Elles habitaient dans un .... château .... (féérique) et menaient

une .... vie .... (beau). Jusqu'au jour où...

5 Complétez ces critiques de films avec les adjectifs accordés et à la place correcte.

Culture _Mag_ ——————————————————— Cinéma

La critique a aimé

Le .... film .... *(premier)* de Jean-Paul Baron est une

réussite .... *(vrai)*. Un .... scénario .... *(bon)*,

des .... dialogues .... *(amusant)*, une .... musique

.... *(beau)*, un .... rythme .... *(rapide)*,

des .... acteurs .... *(exceptionnel)* : le .... cinéma

.... *(français)* comme on l'aime !

La critique a détesté

Un film qui montre un .... étudiant .... *(étranger)* dans une ....

école .... *(religieux)* en train de peindre une .... pomme ....

(verte) posée sur une .... assiette .... *(ronde)* devant un ....

verre .... *(cassé)*. Ce film appartient-il vraiment au .... art

(septième) ? C'est la question que pose le .... film .... *(dernier)*

du .... réalisateur .... *(jeune)* Antoine Richard.

6 Complétez cet article de journal avec les adjectifs accordés et à la place correcte.

ÉCO ——————————————————— *Le Journal du Sud – 29 mai*

UNE NOUVELLE ÉNERGIE POUR LA RÉGION

Chocomixe, l'............... entreprise .... (idéal) pour notre région ?

La .... entreprise .... *(petit)* de .... chocolats ....

(fin) Chocomixe a inauguré hier son .... établissement .... *(nouveau)*

et a présenté ses .... créations .... *(dernier)*. Cette .... entreprise

.... *(imaginatif)*, ... exemple .... *(beau)* de dynamisme,

a déjà créé de .... emplois .... *(nombreux)*. Cette implantation va avoir

des .... conséquences .... *(positif)* sur notre .... économie

.... *(régional)*. Les .... élus .... *(local)* ont remercié la direction

de Chocomixe de cette .... initiative .... *(beau)*. ■ *D.M.*

8 La comparaison

❯ Pour comparer des choses et des personnes
❯ Pour classer des choses et des personnes

❯ Pour exprimer ses goûts
❯ Pour exprimer un record

A Le comparatif

Avec un adjectif ou un adverbe

Avec un adjectif	Laurent est **plus drôle que** Jules. **(+)** Mélanie est **moins dynamique que** lui. **(–)** Marion est **aussi intelligente que** Pauline. **(=)**
Avec un adverbe	Sophie parle **plus doucement que** vous. **(+)** Juliette court **moins vite que** son frère. **(–)** Tu travailles **aussi bien qu'**Émile **(=)**

1 **Comparez ces personnes avec *plus, aussi, moins* et *que/qu'*.**

Ex. : Julie : 20 ans / sa sœur : 28 ans / *(jeune)*
Julie est plus jeune que sa sœur.

> *Que* devient *qu'* devant les voyelles et un *h* muet. **Ex. :** *...plus qu'Isabelle.*

1. Caroline : 1,75 m / sa mère : 1,72 m / *(grande)*

Caroline ....

2. Rémi : 15 ans / son frère : 17 ans / *(âgé)*

Rémi ....

3. Mishal : 4 h de sport par semaine / son cousin : 4 h de sport par semaine / *(sportif)*

Mishal ....

4. Charlotte : 50 000 euros / Édouard : 200 000 euros / *(riche)*

Charlotte ....

5. Lucas : pas beaucoup de chocolat / Stéphane : beaucoup de chocolat / *(gourmand)*

Lucas ....

6. Moussa : lit beaucoup / Alice : lit beaucoup / *(cultivé)*

Moussa ....

7. Antoine : discute un peu / Éric : discute beaucoup / *(bavard)*

Antoine ....

2 **Clara et sa grand-mère comparent le comportement des jeunes à leurs époques. Complétez avec *plus* (+), *aussi* (=), *moins* (–) et *que/qu'*.**

–Tu sais Clara, autrefois, les jeunes étaient (+) plus romantiques que maintenant.

– Mais ils sont (=) .... sensibles .... **(1)** avant !

– Oh non ! Et puis, ils étaient (+) .... courageux .... **(2)** aujourd'hui.

–Tu crois qu'ils sont (–) .... travailleurs .... **(3)** avant ?

– Oui. Mais votre époque est (+) .... difficile .... **(4)** la mienne.

–Tu sais, nous sommes peut-être (+) .... **(5)** égoïstes mais nous sommes

   (–) .... **(6)** timides et (+) .... **(7)** libres, tu es d'accord ?

3 🎧 15 **Écoutez et écrivez les comparatifs que vous entendez. Complétez avec un moyen de transport de la liste.**

l'avion • en rollers • ~~le métro~~ • la voiture • en moto • le vélo • le tramway

Ex. : Il est plus pratique que le bus mais moins rapide : le métro.

1. Elle est .... confortable .... la moto mais .... rapide en ville : ....

2. Je suis .... libre .... à pied, mais je vais un peu .... vite : ....

3. Je vais .... vite .... avec la voiture, mais c'est .... dangereux : ....

4. Il est .... fatigant .... la moto mais .... polluant : ....

5. Je peux voir la ville et il coûte .... cher .... le taxi : ....

6. Il est .... rapide .... les autres transports mais .... polluant : ....

4 **Un employé décrit les changements dans son entreprise. Mettez dans l'ordre.**

1. travaille / plus / qu' / il y a trois ans / tard / On

....

2. On / qu' / plus / reste / longtemps / au travail / avant

....

3. On / vite / déjeunait / que / moins / maintenant

....

4. avant / paie / cher / pour les transports / On / moins / qu'

....

5. se réunit / plus / souvent / que / On / l'année dernière

....

6. communiquait / facilement / moins / On / maintenant / que

....

5 **Des enfants comparent leurs desserts. Soulignez la forme correcte.**

Ex. : Ce gâteau est bon, mais l'autre
est _meilleur_ / meilleure.

> On ne dit pas ~~plus bon(ne)(s)~~ mais _meilleur(e)(s)_.
> **Ex. :** _Cette soupe est meilleure que l'autre._
> On peut dire _plus mauvais(e)_ ou _pire._
> **Ex. :** _Cette soupe est mauvaise_
> _mais l'autre est plus mauvaise_ / _pire._

1. Ces chocolats sont bons, mais les autres
sont _meilleurs_ / meilleur.

2. Cette glace est mauvaise, mais l'autre est encore _pire_ / pires.

3. Cette tarte n'est pas bonne, mais l'autre est _plus mauvaise_ / pires.

4. Cette crème est bonne, mais l'autre est _meilleur_ / meilleure.

5. Ces pâtisseries sont bonnes, mais les autres sont _meilleure_ / meilleures.

6. Ces biscuits ne sont pas bons, mais les autres sont _pire_ / pires.

7. Ces sirops ne sont pas bons, mais les autres sont _pire_ / plus mauvais.

6 **Caroline a la jambe cassée. Une amie donne de ses nouvelles. Entourez la forme correcte.**

> On ne dit pas ~~plus bien~~ mais _mieux._

– Caroline est encore à l'hôpital ? Elle va _meilleure_ / (mieux) ?

– Oui, et elle mange _mieux_ / meilleur **(1)**, elle marche _mieux_ / meilleur **(2)** et elle a

un _mieux_ / meilleur **(3)** moral maintenant. Dans cet hôpital, il y a de _meilleurs_ / mieux **(4)**

spécialistes et les infirmières soignent _meilleurs_ / mieux **(5)**.

– Dis-lui que je lui souhaite une _mieux_ / meilleure **(6)** santé !

7 🎧 **16** **Écoutez et indiquez si vous entendez _mieux_ ou _meilleur(e)(s)_.**

Ex. : « Il cuisine mieux que toi. »

	Ex.	1	2	3	4	5	6	7	8	9	10
mieux	✔										
meilleur(e)(s)											

8 **Mettez dans l'ordre.**

Ex. : moins / Ta lampe / que / éclaire / bien / la mienne • Ta lampe éclaire moins bien que la mienne.

1. Son stylo bleu / le noir / que / mieux / écrit

....

2. roule / bien / qu' / Votre voiture / avant / aussi

....

3. que / mieux / les autres / te / Ces lunettes / vont

....

4. qu' / chez moi / fonctionne / Mon téléphone portable / mieux / à l'école

....

5. coupent / aussi / Ces vieux couteaux / que / bien / la machine

....

6. marche / bien / qu' / Ma télévision / avant / moins

....

Avec un nom

plus de … que/qu' (+)	Cécile a **plus d'amis que** sa sœur.
moins de … que/qu' (–)	Christophe fait **moins de sport que** son frère.
autant de … que/qu' (=)	Pascal gagne **autant d'argent qu'**André.

(!) Pour indiquer la similitude, on peut utiliser *le même, la même* ou *les mêmes*.
Ex. : *Elle ne regarde pas **les mêmes** ballets **que** Blandine.*

9 **Comparez les activités de ces personnes avec *plus de, moins de* ou *autant de … que …***

Ex. : Emma fait beaucoup de ski. Noémie, non. • Emma fait plus de ski que Noémie.

1. Charles organise beaucoup de fêtes. Jules aussi.

→ Charles ....

2. Emmanuel prend un cours de tennis. Xavier, deux.

→ Emmanuel ....

3. Corinne envoie beaucoup de SMS. Daryan aussi.

→ Corinne ....

4. Charlotte écoute beaucoup de musique. Mila, non.

→ Charlotte ....

5. Magali lit beaucoup de romans. Jade, non.

→ Magali ....

6. Jeanne achète parfois des jeux vidéo. Son frère, souvent.

→ Jeanne ....

10 **Comparez ces habitudes alimentaires avec *plus de* (+), *autant de* (=) ou *moins de* (–).**

Ex. : Est-ce que les Boliviens mangent moins d'oranges que les Japonais ? (–)

1. Est-ce que les Italiens mangent .... pâtes que les Espagnols ? (+)

2. Est-ce que les Anglais boivent .... thé que les Français ? (+)

3. Est-ce que les Polonais utilisent .... paprika que les Hongrois ? (–)

4. Est-ce que les Mexicains utilisent ....épices que les Suédois ? (+)

5. Est-ce que les Coréens mangent .... riz que les Chinois ? (=)

6. Est-ce que les Thaïlandais mangent .... curry que les Indiens ? (=)

11 **Complétez avec *plus de/d'* et *moins de/d'*.**

« Bienvenue sur notre planète ! Voici quelques conseils : si vous allez en Afrique, il y a plus de

soleil qu'au pôle Nord ! Vous pourrez voir .... **(1)** animaux sauvages et découvrir

.... **(2)** paysages différents. Si vous choisissez le pôle Nord, vous devez emporter

.... **(3)** vêtements chauds. Vous pourrez voir .... **(4)** animaux,

.... **(5)** paysages variés. Il y a .... **(6)** habitants et naturellement

il y a beaucoup .... **(7)** neige ! Que choisissez-vous ? »

12 **Deux personnes comparent leurs souvenirs. Complétez avec les mots de la liste.**

à la • ~~le~~ (× 2) • aux • des • la • les

Ex. : On habitait dans le même village.

1. On étudiait dans .... même collège.

2. On avait .... mêmes camarades.

3. On était amoureux de .... même fille.

4. On était invités .... mêmes fêtes.

5. On rentrait .... même heure.

6. On s'amusait .... mêmes histoires.

13 **Un détective a suivi un suspect dans un train. Il parle de leur trajet.**
Complétez avec *le même, la même, les mêmes, au même, à la même*.

Ex. : Je suis parti le même jour que lui.

1. Nous avons pris .... train.

2. Je me suis assis dans .... voiture.

3. J'ai vu que nous avions .... bagages.

4. On est allés à la voiture-bar .... moment.

5. Je suis descendu .... gare que lui.

6. On est montés dans .... bus.

7. Et je suis sûr que nous sommes descendus .... arrêt. Mais là, je l'ai perdu !

Avec un verbe

plus que/qu' (+)	Virginie **parle** plus qu'Élodie.
moins que/qu' (–)	Cette société **gagne** moins que l'autre.
autant ... que/qu' (=)	**J'aime** autant les robes que les pantalons.

⚠ Au passé composé, le mot de comparaison est généralement placé devant le participe passé.
Ex. : *Il n'a pas **autant** aimé ce film. Vous avez **plus** apprécié ce film.*

14 **Comparez les activités de ces personnes avec** *plus que/qu'* **ou** *moins que/qu'.*

Ex. : Tu regardes trop la télévision. Tu la regardes plus que tes amis.

1. Ma sœur reste souvent seule à la maison. Elle sort .... avant.

2. Vous lisez vraiment beaucoup. Vous lisez .... nous.

3. Je n'aime pas beaucoup danser. Je danse .... ma cousine.

4. Mes voisins ont beaucoup d'argent maintenant. Ils voyagent .... avant.

5. Quand je travaille, je mange peu. Je mange .... le week-end.

6. Au bureau, j'utilise très souvent Internet. Je me connecte .... à la maison.

7. Les enfants préfèrent les films comiques. Ils rient toujours .... nous.

8. Mon mari n'aime pas beaucoup le ski. Il skie beaucoup .... moi.

15 **Mettez dans l'ordre.**

Ex. : Ils / hier / (–) / couru / que / ont
Ils ont moins couru hier que dimanche dernier.

1. a / apprécié / On / que / (+) / l'exposition

.... la conférence.

2. (=) / J' / aimé / que / ai / son deuxième roman

.... son premier.

3. que / (–) / a / ce mois-ci / plu / Il

.... le mois dernier.

4. avec / qu' / (=) / a / son stagiaire / travaillé / Il

.... avec ses collègues.

5. ce week-end / me suis / que / (+) / Je / reposé

.... le week-end dernier.

6. peint / (=) / que / Elles / ont

.... dans leur jeunesse.

B Le superlatif

Pour exprimer le degré maximum ou minimum	**avec un adjectif**	C'est la danseuse **la plus**/**la moins** célèbre du ballet. C'est **la meilleure** ou **la moins bonne** danseuse ?
	avec un adverbe	C'est elle qui danse **le plus**/**le moins** gracieusement. C'est elle qui danse **le mieux** ou **le moins bien** ?
	avec un nom	C'est elle qui a **le plus de**/**le moins de** talent.
	avec un verbe	C'est elle qui s'entraîne **le plus**/**le moins**.

16 **Transformez cette publicité avec le superlatif _le plus_.**

Avec les produits « Beauté Plus », vous aurez :

> Quand l'adjectif au superlatif est après le nom, on répète l'article.
> **Ex :** _C'est le produit le plus efficace._

Ex. : un sourire éclatant → le sourire le plus éclatant.

1. un regard séduisant → ....

2. des cheveux naturels → ....

3. une peau douce → ....

4. des mains fines → ....

5. une silhouette élégante → ....

6. des dents blanches → ....

17 **Faites des phrases pour exprimer des records.**

Ex. : Le Sahara / désert / vaste / planète / (+)
Le Sahara est le désert le plus vaste
de la planète.

> Pour le superlatif des adjectifs qui se placent avant le nom, il y a deux positions possibles :
> **Ex. :** _C'est la plus jolie région du monde !_
> _C'est la région la plus jolie du monde !_

1. L'Amazonie / forêt / grande / Terre / (+)

....

2. La Sibérie / endroit / peuplé / Russie / (–)

....

3. Le Nil / fleuve / long / Afrique / (+)

....

4. L'Antarctique / région / visitée / monde / (–)

....

5. Los Angeles / ville / cosmopolite / États-Unis / (+)

....

6. L'Everest / montagne / haute / planète / (+)

....

18 **Une agence de voyages s'adresse à ses clients. Soulignez la forme correcte.**

> On ne dit pas ~~le/la/les plus bon(ne)(s)~~, mais *le/la/les meilleur(e)(s)*.
> **Ex. :** *C'est la meilleure destination.*

Ex. : Vous aurez *le meilleur* / *la meilleure* hôtel *du* / *de la* ville.

1. Vous dînerez dans *les meilleurs* / *le meilleur* restaurant *des* / *du* centre-ville.

2. Vous visiterez *les meilleurs* / *les meilleures* caves *de la* / *du* région.

3. Vous goûterez *les meilleures* / *les meilleurs* spécialités *de l'* / *de la* île.

4. Vous bénéficierez *du meilleur* / *de la meilleure* tarif *de la* / *de l'* agence de voyages.

5. Vous découvrirez *la meilleure* / *les meilleurs* endroits *de la* / *du* côte.

19 **Un professeur complimente ses étudiants, et surtout Lucie. Complétez avec *le meilleur*, *la meilleure*, *les meilleur(e)s* ou *le mieux*.**

> On ne dit pas ~~le plus bien~~, mais *le mieux*.
> **Ex. :** *Qui travaille le mieux ?*

Ex. : Vous avez bien travaillé, mais c'est Lucie qui a le mieux travaillé.

1. Vos exposés sont bons, mais celui de Lucie est ....

2. Vous dessinez tous bien, mais, pour moi, c'est Lucie qui dessine ....

3. Vous posez tous les bonnes questions, mais Lucie pose toujours ....

4. C'est aussi Lucie qui a .... résultats.

5. Dans cette classe, c'est Lucie qui réussit vraiment ....

6. Je pense vraiment que Lucie est .... élève de la classe !

20 **Un journaliste raconte les exploits d'un explorateur. Mettez dans l'ordre.**

Ex. : froids / climats / Il a connu / les / les / (+) • Il a connu les climats les plus froids.

1. du monde / région / (+) / la / Il a traversé / la / isolée

....

2. les / les / Il a vécu / dans / montagnes / sauvages / (+)

....

3. zones / Il s'est arrêté / dans / les / dangereuses / (+) / les

....

4. mers / les / calmes / Il a voyagé / sur / (–) / les

....

5. Il a dormi / les / accueillants / les / (–) / dans / endroits

....

6. les / fous / (+) / Il a pris / risques / les

....

1 **Comparez les moyens de transports. Utilisez un comparatif ou un superlatif.**

1. Les voyages en bateau prennent .... en avion. *(temps)* (+)

2. En moto, on a .... en voiture. *(liberté)* (=)

3. Dans un bateau, on dort .... dans une voiture. *(bien)* (+)

4. Entre le bus et le car, lequel coûte .... ? *(cher)* (–)

5. Sur un bateau, la nourriture est .... dans un train. *(bon)* (+)

6. La moto est .... la voiture. *(confortable)* (–)

7. Une voiture transporte .... un train. *(passagers)* (–)

8. La moto va .... la voiture, il n'y a pas de différence. *(vite)* (=)

9. De tous les moyens de transport, c'est le vélo qui est .... *(polluant)* (–)

2 **Gabriel rêve d'un monde idéal. Soulignez l'expression correcte.**

Dans un monde idéal, je vois *moins de / le moins de* **(1)** guerres, *plus de / plus d'* **(2)** amour.

Naturellement *plus de / mieux* **(3)** tolérance entre les hommes qui seront *moins d' / moins* **(4)**

individualistes et *moins bien / moins* **(5)** égoïstes. Ils penseront donc *autant d' / plus* **(6)** aux autres.

Pour moi, en effet, *le mieux / le plus* **(7)** important, c'est que tous les hommes vivent

meilleur / mieux **(8)** ! Ils auront *plus de / moins* **(9)** temps pour les loisirs. Il n'y aura plus

aussi / autant de stress **(10)** et il y aura *moins / plus de* **(11)** bonheur. Le monde sera

mieux / meilleur **(12)** quand nous accepterons nos différences !

3 **Ève et Léa comparent leurs appartements. Complétez avec les comparatifs ou superlatifs proposés.**

autant de (× 2) • **plus ... que** (× 2) • **moins de ... que** • **le plus** (× 2) •
plus de ... que • **mieux ... que** • **la même**

– Léa, j'adore ton appartement ! Il est .... clair .... **(1)** le mien.

– Oui, il est .... lumineux .... **(2)** celui d'avant.

– Chez moi, c'est très sombre. Il y a beaucoup .... soleil .... **(3)** chez toi.

– C'est vrai, mais c'est normal, moi, je suis à l'étage .... **(4)** élevé !

– Et puis, Léa, ton studio est .... situé .... **(5)** le mien.

– Tu trouves ? Tu habites dans le quartier .... **(6)** central de la ville !

– D'accord, mais il y a .... bruit .... **(7)** chez toi. Chez moi, c'est un problème !

Mais pour les courses, c'est vrai que mon quartier est super !

– Près de chez moi, c'est bien aussi, c'est .... **(8)** chose. J'ai .... **(9)**

commerces et .... **(10)** choix, je pense. On a de la chance de vivre ici, non ?

4 *Le Magazine de l'Éco* compare deux entreprises. Complétez avec des comparatifs et des superlatifs.

Deux entreprises en compétition : Vêtu et Costuma

	Vêtu	Costuma
Nombre d'employés	150	150
Chiffre d'affaires	51 millions d'euros	35 millions d'euros
Qualité des produits	++	+++++
Dynamisme	+++	+++
Date de création	2002	2010
Usines en France	8	6
Nombre de produits	2600	1900

➡ Vêtu et Costuma ont .... employés.

➡ Costuma a le chiffre d'affaires .... élevé.

➡ Les produits de Costuma sont de .... qualité.

➡ Les deux entreprises sont .... dynamiques.

➡ Costuma est l'entreprise .... récente.

➡ Vêtu a .... usines en France .... Costuma.

➡ C'est l'entreprise Vêtu qui propose .... produits.

5 La station de montagne de La Flumaz a changé ces dernières années. Complétez le questionnaire distribué aux touristes.

La Flumaz, Votre station de montagne

ENQUÊTE DE SATISFACTION

PISTES
- ☐ Il y a .... (+) pistes faciles ?
- ☐ Il y a .... (–) pistes faciles ?

INSTALLATIONS
- ☐ .... (–) installations sont en mauvais état ?
- ☐ .... (+) installations sont en mauvais état ?

PRIX
- ☐ À votre avis, la station est .... (–) chère de la région ?
- ☐ À votre avis, la station est .... (+) chère de la région ?

FRÉQUENTATION
- ☐ Les touristes ne sont pas .... (=) nombreux qu'avant ?
- ☐ Les touristes sont .... (+) nombreux qu'avant ?

SORTIES
- ☐ Le soir, vous sortez .... (+) avant ?
- ☐ Le soir, vous sortez .... (=) avant ?

ÉVOLUTION
- ☐ Qu'est-ce qui est .... (–) bien ? Avant ou maintenant ?
- ☐ Qu'est-ce qui est .... (+) ? Avant ou maintenant ?

9 Les adjectifs et les pronoms démonstratifs et possessifs

❯ Pour caractériser une chose ou une personne
❯ Pour désigner une chose ou une personne

❯ Pour comparer des choses ou des personnes
❯ Pour indiquer l'appartenance

A Les adjectifs démonstratifs et possessifs

	Adjectifs démonstratifs	Adjectifs possessifs	
Masculin singulier	Ce **bureau** est très grand. Cet **avion** vole haut.	C'est	**mon, ton, son, notre, votre, leur** bureau/avion.
Féminin singulier	Cette **société** appartient à un ami. Cette **entreprise** m'appartient.	C'est	**ma, ta, sa, notre, votre, leur** société.
		C'est	**mon, ton, son, notre, votre, leur** entreprise.
Masculin ou féminin pluriel	Ces **collègues** me connaissent bien.	Ce sont	**mes, tes, ses, nos, vos, leurs** collègues.

(!) Au masculin singulier, devant un nom commençant par une voyelle ou un *h* muet, l'adjectif démonstratif est *cet*. **Ex. : Cet** *agenda*.
Au singulier, devant un nom féminin commençant par une voyelle ou un *h* muet, l'adjectif possessif est *mon, ton, son*. **Ex. : Son** *entreprise*.

1 **Théo parle de sa ville. Soulignez l'adjectif démonstratif correct.**

Ex. : Tu connais *ce / cette* ville ?

1. Je me promène souvent dans *ce / ces* parc.

2. J'aime beaucoup *ce / cet* endroit.

3. *Cette / Ces* rues sont très animées.

4. Des stars viennent dans *cet / cette* hôtel.

5. Il faut visiter *cet / cette* église.

6. *Cet / Ce* hôpital est tout nouveau.

7. On va traverser *ces / ce* pont.

8. On peut se baigner dans *cette / cet* rivière.

2 **Aurore montre une photo de sa famille. Entourez l'adjectif possessif correct.**

Regarde, voilà une photo de toute *mon / ma* famille, le jour des 90 ans de *ma / mon* **(1)** arrière-grand-mère. Alors là, c'est *mon / mes* **(2)** mari avec *tes / nos* **(3)** enfants. À côté, *vos / mes* **(4)** parents, et là, c'est *ma / nos* **(5)** sœur, elle est avec *son / leur* **(6)** fiancé. À gauche, ce sont *mes / leurs* **(7)** grands-parents. À côté, *son / notre* **(8)** oncle (c'est le frère de *leur / notre* **(9)** mère) et *notre / nos* **(10)** tantes sont là, avec *ses / leurs* **(11)** trois enfants ici. Et nous avions aussi invité *mon / mes* **(12)** amis de Marseille, ils sont là, derrière. Et là, tu sais, c'est *mon / ma* **(13)** amie d'enfance. Nous n'avons pas une grande famille, mais *leurs / notre* **(14)** fête a été vraiment réussie !

3 Complétez les questions avec des adjectifs démonstratifs et les réponses avec des adjectifs possessifs.

Ex. : Ce porte-monnaie est à Claire ?   – Oui, c'est son porte-monnaie.

1. .... jeux sont aux enfants ?   – Oui, ce sont .... jeux.

2. .... agenda est à moi ?   – Oui, c'est .... agenda.

3. .... lunettes sont à Loïc ?   – Oui, ce sont .... lunettes.

4. .... montre est à Éric ?   – Oui, c'est .... montre.

5. .... clés sont aux gardiens ?   – Oui, ce sont .... clés.

6. .... écharpe est à toi ?   – Oui, c'est .... écharpe.

7. .... parapluie est à vous, Sonia ?   – Oui, c'est .... parapluie.

4 〔17〕 **Écoutez la phrase avec un adjectif démonstratif. Puis complétez la présentation des artistes avec un adjectif possessif.**

Ex. : « J'aime bien *cet* écrivain. » → J'ai lu son dernier roman !

1. Je trouve que .... films sont excellents.

2. .... jeu est très intéressant.

3. .... tableaux sont connus maintenant.

4. J'ai acheté tous .... albums.

5. Je cherche une vidéo de .... ballets.

6. Elle fait .... prochaine exposition ici.

7. J'ai vu tous .... films.

8. J'aime beaucoup .... sculptures.

B Les pronoms démonstratifs

Celui, celle, ceux, celles sont toujours suivis d'une précision	• pronom relatif • préposition + nom • *-ci / -là*	Quel document j'envoie ? – **Celui qui** est sur le bureau, – **Celui de** droite. – **Celui-ci**.

(!) Quand ils sont opposés, *celui-ci* désigne l'élément le plus proche et *celui-là* l'élément le plus éloigné.

5 **Associez.**

Vous voudriez...

1. quel ordinateur ? •

2. quels portables ? •

3. quelles chaises ? •

4. quelle cafetière ? •

5. quelle imprimante ? •

6. quelle tablette ? •

7. quelles affiches ? •

8. quel bureau ? •

9. quels logiciels ? •

• **a.** Celle-là.

• **b.** Ceux-là.

• **c.** Celles-là.

• **d.** Celui-là.

6 🎧 18 **Écoutez et indiquez la phrase qui doit remplacer la phrase que vous entendez.**

Ex. : « Je prends cette veste. »

	Ex.	1	2	3	4	5	6	7	8	9	10
Je prends celui-là.											
Je prends celle-là.	✔										
Je prends ceux-là.											
Je prends celles-là.											

7 **Entourez le pronom démonstratif correct.**

Ex. : Tu veux quel gâteau ? – ⊙Celui / celle avec beaucoup de crème !

1. Tu aimes les tartes ? – Oui, surtout celle / celles au citron !

2. Tu aimes les yaourts ? – Oui, et particulièrement celui / ceux à la framboise.

3. Tu veux du gâteau ? – Oui, c'est celle / celui de ta mère ?

4. Tu aimes les chocolats ? – Oui, surtout ceux / celles à la pistache !

5. Tu veux de la confiture ? – Oui, celle / celui à l'orange !

6. Tu aimes les glaces ? – Oui, surtout ceux / celles au chocolat.

8 **Associez.**

1. Ceux qui travaillent avec moi ? •   • **a.** Mon jardinier.

2. Ceux que je dirige ? •   • **b.** Mes amies.

3. Celui qui s'occupe de mes plantes ? •   • **c.** Mes collègues.

4. Celle qui finance mes projets ? •   • **d.** Mes conseillères.

5. Celles que j'invite souvent chez moi ? •   • **e.** Mes employés.

6. Celui qui ouvre mon courrier ? •   • **f.** Ma banquière.

7. Celles qui m'aident à prendre les décisions ? •   • **g.** Mon assistant.

9 **Soulignez le pronom démonstratif correct.**

Ex. : Tu aimes les pulls en coton ? – Non, je préfère ceux / celles en laine.

1. Tu voudrais ces chaussures en toile ? – Non, je préfère celles / celui en cuir.

2. Tu as des bracelets en argent ? – Non, j'aime mieux celles / ceux en or.

3. On prend ce chemisier en lin ? – Non, j'aime mieux celui / celle en soie.

4. Tu veux cette chemise à fleurs ? – Non, je préfère celui / celle à rayures.

5. Et cette cravate verte ? – Non, j'aime mieux ceux / celle à pois.

6. Tu aimes ce pantalon noir et rouge ? – Non, je préfère celui / ceux à carreaux.

10 **Complétez avec** *celui, celle(s)* **ou** *ceux.*

Ex. : Demande au vendeur, celui qui est près de la cabine.

1. Je peux voir les affiches, là, ... que vous rangez ?

2. J'adore les tableaux de Picasso, surtout .... de sa période bleue.

3. J'ai pris des places au balcon, ... de l'orchestre étaient trop chères.

4. On prend quel nouveau roman ? .... de Modiano ?

5. On enregistre quelle émission ? .... d'Arte ?

6. J'aime les films en version originale, mais .... qui sont doublés ont plus de succès.

11 **Complétez avec des pronoms démonstratifs.**

Ex. : Dis-moi, à ton avis, quel est le monument le plus visité à Paris ?

– Celui qui est le plus visité ? Je ne sais pas, je dirais Notre-Dame.

1. Et la langue la plus parlée dans le monde ?

– À mon avis, ... qui est la plus parlée, c'est le chinois, non ?

2. Les vêtements les plus portés ?

– Je ne sais pas .... qui sont les plus portés. Probablement les jeans.

3. La boisson la plus connue ?

– .... qui est la plus connue, c'est difficile à dire. Mais .... qu'on boit le plus, c'est l'eau !

4. Le site Internet le plus consulté ?

– .... qui est le plus consulté ? Je ne sais pas du tout ! Et toi, tu sais ?

5. Le plat le plus populaire dans le monde ?

– .... qui est le plus populaire ? La pizza, peut-être ?

C Les pronoms possessifs

	Pronoms possessifs	
Appartenance	**singulier**	**pluriel**
à moi	**le mien, la mienne**	**les miens, les miennes**
à toi	**le tien, la tienne**	**les tiens, les tiennes**
à lui, à elle	**le sien, la sienne**	**les siens, les siennes**
à nous	**le nôtre, la nôtre**	**les nôtres**
à vous	**le vôtre, la vôtre**	**les vôtres**
à eux, à elles	**le leur, la leur**	**les leurs**

12 Associez.

1. C'est ma veste.   •   • **a.** C'est le mien.
2. Ce sont tes lunettes.   •   • **b.** Ce sont les leurs.
3. C'est notre parapluie.   •   • **c.** Ce sont les siens.
4. Ce sont ses clés.   •   • **d.** C'est le nôtre.
5. Ce sont les affaires de Paul et Julie. •   • **e.** Ce sont les tiennes.
6. C'est mon manteau.   •   • **f.** C'est la vôtre.
7. Ce sont les gants de Brahim.   •   • **g.** Ce sont les siennes.
8. C'est votre casquette.   •   • **h.** C'est la mienne.

13 🎧 19 Écoutez et indiquez si les pronoms possessifs sont au masculin ou au féminin. Deux réponses sont possibles.

Ex. : « Voilà la tienne. »

	Ex.	1	2	3	4	5	6	7	8	9	10
Masculin singulier											
Féminin singulier	✔										
Masculin pluriel											
Féminin pluriel											

14 Complétez avec *le mien, la mienne, les miens* ou *les miennes*.

Ex. : Mon entreprise est au centre-ville.   – La mienne est à la campagne.

1. Mon bureau est au premier étage.   – .... est au rez-de-chaussée.

2. J'ai un travail agréable.   – J'aime bien .... aussi.

3. Je laisse mes affaires au bureau.   – J'emporte .... chez moi.

4. Mon imprimante marche bien.   – .... marche bien aussi.

5. Ma directrice est belge.   – .... est française.

6. Mes assistants sont sympathiques.   – Je ne connais pas très bien ....

15 Transformez avec un pronom possessif.

Ex. : C'est ta moto ? → Cette moto, c'est la tienne ?

1. C'est votre parapluie ? → Ce parapluie, c'est .... ?

2. Ce sont ses affaires ? → Ces affaires, ce sont .... ?

3. C'est leur voiture ? → Cette voiture, c'est .... ?

4. Ce sont tes dossiers ? → Ces dossiers, ce sont .... ?

5. C'est mon stylo ? → Ce stylo, c'est .... ?

6. C'est sa veste ? → Cette veste, c'est .... ?

7. Ce sont leurs valises ? → Ces valises, ce sont .... ?

BILAN

❶ Léa et Axel font les dernières vérifications avant leur voyage. Soulignez la forme correcte.

– Axel, on prend l'avion de 9 heures ?

– Non, j'ai réservé *nos / notre* **(1)** places sur *celle / celui* **(2)** de 15 heures !

– D'accord ! Tu prends *ton / ta* **(3)** passeport ? Moi je ne prends pas *la mienne / le mien* **(4)**, je prends

seulement *mon / ma* **(5)** carte d'identité.

– Oui, je prends aussi *le mien / la mienne* **(6)**. Je vais prendre *ma / mes* **(7)** grosse valise grise pour

mettre toutes *mes / mon* **(8)** affaires de plongée.

– Moi, je vais mettre *les miens / les miennes* **(9)** dans *mes / mon* **(10)** gros sac, comme d'habitude.

– Bon, alors à demain ! Rendez-vous à midi à la station de taxi, *celle / celui* **(11)** qui est à côté de

chez moi, d'accord ? J'espère que *nos / notre* **(12)** avion n'aura pas de retard !

– À demain !

❷ La mère d'Antoine et de Martin parle du désordre dans leur chambre. Complétez avec des pronoms et des adjectifs, démonstratifs et possessifs.

– À qui sont _____ **(1)** chaussettes ? Antoine, ce sont _____ **(2)** ?

– Non, ce ne sont pas _____ **(3)**, ce sont _____ **(4)** de Martin.

– Et _____ **(5)** serviette ?

– C'est _____ **(6)** de Martin !

– Et _____ **(7)** tee-shirt, c'est _____ **(8)** ou _____ **(9)** de ton frère ?

– C'est _____ **(10)** ! C'est toi qui me l'as acheté.

– Mais qu'est-ce que vous faites avec _____ **(11)** vêtements ? Regardez comme ils sont

sales... Ce n'est pas possible ! Vous allez ranger tout _____ **(12)** désordre !

❸ À l'aéroport, un agent de sécurité vérifie les bagages. Complétez avec des pronoms et des adjectifs, démonstratifs et possessifs.

– Monsieur, ouvrez _____ **(1)** valise, s'il vous plaît.

– Mais ce n'est pas _____ **(2)** !

– Où est _____ **(3)** ?

– Je n'ai pas de valise ! J'ai seulement un sac. C'est _____ **(4)** qui a beaucoup d'étiquettes.

– À qui est _____ **(5)** valise, alors ? Madame, c'est _____ **(6)** ?

– Oui monsieur, pourquoi ?

– Vous savez que vous devez garder _____ **(7)** bagages avec vous, sinon nous sommes

obligés de les détruire !

BILAN

4 Sur un blog Erasmus, deux étudiantes discutent des études à l'étranger. Complétez avec les mots de la liste.

ce • la mienne • le mien • ma • mon • mes • tes • ton

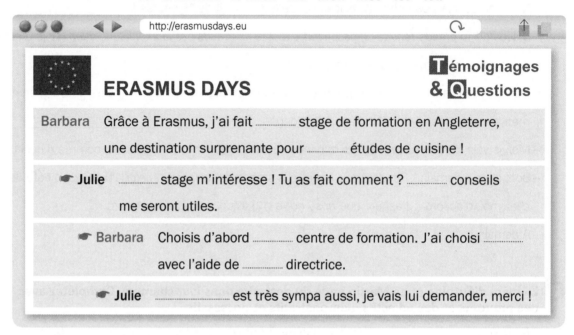

ERASMUS DAYS

Témoignages & **Q**uestions

Barbara   Grâce à Erasmus, j'ai fait _____ stage de formation en Angleterre, une destination surprenante pour _____ études de cuisine !

☞ **Julie**   _____ stage m'intéresse ! Tu as fait comment ? _____ conseils me seront utiles.

☞ **Barbara**   Choisis d'abord _____ centre de formation. J'ai choisi _____ avec l'aide de _____ directrice.

☞ **Julie**   _____ est très sympa aussi, je vais lui demander, merci !

5 Sur ce forum, des internautes échangent des informations pratiques. Entourez la forme correcte.

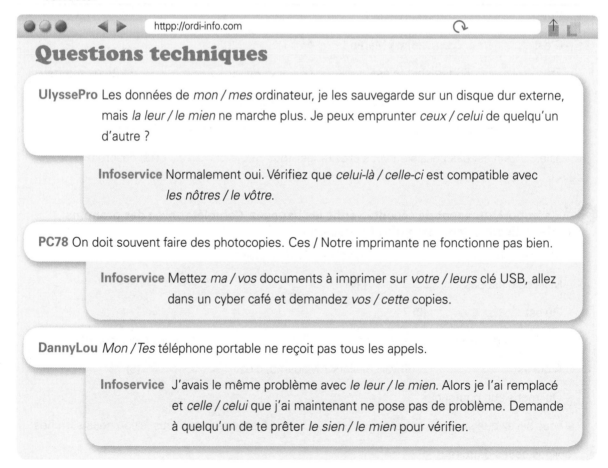

Questions techniques

UlyssePro Les données de *mon / mes* ordinateur, je les sauvegarde sur un disque dur externe, mais *la leur / le mien* ne marche plus. Je peux emprunter *ceux / celui* de quelqu'un d'autre ?

> **Infoservice** Normalement oui. Vérifiez que *celui-là / celle-ci* est compatible avec *les nôtres / le vôtre*.

PC78 On doit souvent faire des photocopies. *Ces / Notre* imprimante ne fonctionne pas bien.

> **Infoservice** Mettez *ma / vos* documents à imprimer sur *votre / leurs* clé USB, allez dans un cyber café et demandez *vos / cette* copies.

DannyLou *Mon / Tes* téléphone portable ne reçoit pas tous les appels.

> **Infoservice** J'avais le même problème avec *le leur / le mien*. Alors je l'ai remplacé et *celle / celui* que j'ai maintenant ne pose pas de problème. Demande à quelqu'un de te prêter *le sien / le mien* pour vérifier.

L'expression du temps **10**

❯ Pour informer sur le moment, la date, la durée   ❯ Pour donner un emploi du temps

❯ Pour exprimer une habitude   ❯ Pour raconter des événements

A   Situer dans le temps

Un moment	l'heure	Il est arrivé **à** 8 heures.
	la date	Je reviens **le** 28 décembre.
	le jour	On va au cinéma **lundi**, **lundi prochain**.
	le mois	Elle est partie **en** février. Elle est revenue **au** mois de février.
	la saison	Elle repart **au** printemps et **en** été.
	l'année	Elle reviendra **en** 2022.
Une habitude	le jour	Je vais à la piscine **le** mercredi.
	un moment dans la journée	**Le** soir, tu vas souvent au cinéma ?

(!) On utilise aussi l'adjectif démonstratif *ce, cet, cette* pour indiquer le moment présent.
Ex. : *Ce* soir (= aujourd'hui), ***cette*** *année* (= l'année actuelle).

1   **Complétez ces informations sur la France avec *le, en, à* ou *au*.**

Ex. : Le 1ᵉʳ mai, c'est la fête du travail. Il y a beaucoup de jours fériés en mai.

1. .... juillet 1789, le peuple parisien a pris la Bastille. .... 14 juillet est devenu la fête

nationale française.

2. .... minuit, ... 31 décembre, on se souhaite la bonne année.

3. En France, l'école est devenue obligatoire et gratuite .... 1882.

4. Les élèves français commencent l'année scolaire .... mois de septembre. Ils ont des

vacances .... hiver et .... printemps. Ils ont aussi deux mois de vacances .... été :

.... juillet et .... août.

2   **Complétez l'emploi du temps de Pierre avec *le, la, ce* ou *cette*, si nécessaire.**

Généralement, Pierre fait la lessive le lundi. Mais .... **(1)** lundi dernier, il n'a pas eu le temps.

Chez Pierre, ... **(2)** mardi, c'est le jour du repassage et .... **(3)** mercredi, c'est le jour

du ménage. Mais .... **(4)** semaine, il doit aller chez sa mère ; alors le repassage et le ménage

vont attendre .... **(5)** mardi et .... **(6)** mercredi prochains. .... **(7)** samedi, c'est le jour

des courses, mais .... **(8)** samedi, il travaille.

3 🎧 **20** **Écoutez et dites si les personnes parlent d'un moment ou d'une habitude.**

Ex. : « Ce soir, nous allons au cinéma. »

	Ex.	1	2	3	4	5	6	7	8	9	10
Moment	✔										
Habitude											

Situer une action dans le temps

à partir de	Je commence le sport **à partir de** demain.
jusqu'à/en	Il travaille **jusqu'à** vendredi / **jusqu'en** mars.
de ... à ..., du ... au ...	Je voyagerai **du** 15 **au** 19 mars.
dans (avec un verbe au futur ou présent)	Nous rentrerons **dans** 3 jours.
il y a (avec un verbe au passé composé)	Elle est passée **il y a** 10 minutes.
depuis (avec un verbe au présent ou au passé composé avec une négation) + date, fait, durée	Il est là **depuis** midi. Il dort **depuis** son arrivée. Il n'a pas pris de vacances **depuis** dix ans.

4 **Soulignez la forme correcte.**

1. L'exposition sera à Londres *à partir de / à partir du* 2 juillet et *jusqu'à / jusqu'au* 9 septembre.

2. La galerie est ouverte *à partir de / à partir des* 10 heures et *jusqu'à / jusqu'aux* 18 heures.

3. Le musée est fermé pour travaux *jusqu'en / jusqu'au* mois de mai.

4. Le zoo ouvre ses portes *à partir de / à partir des* 9 heures.

5. Vous pouvez prendre vos billets *à partir du / à partir de* demain et *jusqu'à / jusqu'au* jeudi.

6. L'entrée sera interdite *jusqu'aux / jusqu'à les* prochaines vacances.

5 **Transformez avec *jusqu'à/au/en* ou *à partir de/du*.**

Ex. : Il a travaillé au bureau. Il est parti à 19 heures. → Il a travaillé au bureau jusqu'à 19 heures.

1. Vous pourrez voir le directeur. Il arrivera à 10 heures.

→ ....

2. Ils partent à la campagne. Ils reviendront dimanche soir.

→ ....

3. Nous sommes absents. Nous reviendrons le 5 mars.

→ ....

4. Vous pourrez nous appeler. Nous serons là le 20 juin.

→ ....

5. Elles ont vécu à l'étranger. Elles sont rentrées en 2018.

→ ....

6 **Complétez avec *de ... à* ou *du ... au*.**

Ex. : Les bureaux sont fermés du vendredi soir au lundi matin.

1. Les bus circulent .... 6 heures du matin .... 22 heures.

2. Le directeur commercial sera absent .... mardi .... jeudi prochain.

3. L'agence est ouverte .... lundi .... vendredi, ... 9 heures .... 18 heures.

4. Le voyage dure deux semaines, ... 21 février .... 8 mars.

5. Ils ont vécu au Japon .... 2015 .... 2018.

6. Je vais faire un stage .... janvier .... juin.

7 **Complétez avec *dans* ou *il y a*.**

Ex. : Je reviens dans un instant.

1. Il est sorti .... une demi-heure.

2. On vous a contactés .... une semaine.

3. Elle va arriver .... dix minutes.

4. Nous partons .... cinq minutes.

5. Il t'a prévenu .... trois heures.

6. Vous pouvez me rappeler .... une heure ?

8 🎧 21 **Écoutez et indiquez si les phrases expriment une action future ou une action passée.**

Ex. : « On va se revoir dans quelques mois. »

	Ex.	1	2	3	4	5	6	7	8	9	10
Action future	✔										
Action passée											

9 **Mettez dans l'ordre.**

1. depuis / allée / n'est / Elle / longtemps / pas / au cinéma

....

2. rien / Vous / fait / ce matin / n'avez / depuis

....

3. deux heures / personne / rencontré / On / depuis / n'a

....

4. sortis / une semaine / n'est / depuis / On / pas

....

5. mangé / hier soir / Nous / rien / depuis / n'avons

....

10 **Complétez avec *il y a* ou *depuis*.**

1. Ils ont divorcé il y a six mois. .... leur divorce, ils ne se parlent plus.

2. Nous habitons à Lille .... trois ans. Nous avons eu un enfant .... un mois.

3. Elle a rencontré un garçon .... un an. .... cette rencontre, elle voit moins souvent ses amies.

4. .... l'année dernière, vous vivez ensemble. Vous avez acheté un appartement .... deux mois.

5. Elles se sont rencontrées .... trois mois. Elles cohabitent .... leur rencontre.

Exprimer la durée avec *pendant, pour, en*

pendant (durée réelle)	Nous sommes partis **pendant** 15 jours.
pour (durée prévue)	Elle vient à Paris **pour** 3 jours.
en (durée nécessaire pour faire quelque chose)	Il a fait son exercice **en** cinq minutes.

11 **Complétez avec *en* ou *pendant*.**

Ex. : Je suis allé de Paris à Fontainebleau en une heure.

1. Je suis resté dans le château .... deux heures.

2. Je me suis promené dans le parc .... quelques heures.

3. Je suis rentré à Paris .... une heure et demie.

4. Je me suis reposé .... vingt minutes.

5. Je me suis rendu au restaurant à pied .... dix minutes.

6. J'ai retrouvé des amis et nous avons discuté .... plusieurs heures.

12 **Barrez la forme incorrecte.**

Ex. : On a habité à Londres *pendant / ~~pour~~* dix ans.

1. Nous partons vivre en Espagne *pendant / pour* six mois. Après, on verra.

2. Ils sont restés en Russie *pendant / pour* un mois.

3. Elles ont étudié en France *pendant / pour* un an.

4. J'ai suivi une formation professionnelle à Tokyo *pendant / pour* un trimestre.

5. Elle a travaillé en Afrique du Sud *pendant / pour* 8 ans.

6. Nous avons signé un contrat *pendant / pour* 3 ans.

13 🎧 22 **Écoutez et indiquez si la phrase exprime une durée réelle, prévue ou nécessaire.**

Ex. : « Je me prépare en trente minutes. »

	Ex.	1	2	3	4	5	6	7	8	9	10
Durée réelle											
Durée prévue											
Durée nécessaire	✔										

14 **Complétez le projet de voyage d'Alfred avec *pour* ou *il y a*.**

Alfred part demain pour trois semaines en Espagne. Il a fait ses réservations d'hôtels .... **(1)**

deux mois. Il sera à Madrid .... **(2)** une semaine et à Séville .... **(3)** dix jours.

Il est déjà allé en Espagne .... **(4)** plusieurs années… C'est un vrai voyageur !

L'an prochain, il part travailler en Argentine .... **(5)** six mois. Sa compagne le rejoindra

.... **(6)** quelques jours.

B Les questions sur le moment et la durée

Questions sur le moment	**À quelle heure** est-ce que vous venez ? **Quand** vas-tu téléphoner ? **Jusqu'à quand** restez-vous ? **Depuis quand** travaillent-elles ? **À partir de quand** va-t-elle vivre ici ?
Questions sur la durée	**Il y a combien de** temps qu'il est ici ? **Depuis combien d'**années tu vis à Lyon ? **Pendant combien d'**heures est-ce que tu as attendu ? **Dans combien de** jours tu reviens ? **Pour combien de** semaines pars-tu ?

❗ Avec la question intonative, les expressions interrogatives peuvent être après le verbe.
Ex. : *Dans combien de temps tu reviens ? Tu reviens dans combien de temps ?*

Il y a combien de temps que est toujours au début de la phrase.
Ex. : *Il y a combien de temps que tu es là ?*

15 **Associez les questions et les réponses de ces deux étudiants Erasmus.**

1. Tu es arrivé quand ?
2. Tu restes ici jusqu'à quand ?
3. Depuis combien de temps tu es là ?
4. Tu commences ton travail à partir de quand ?
5. Il y a combien de temps que tu es arrivé ?
6. Tu apprends le français depuis quand ?
7. Tu as vécu en colocation pendant combien de temps ?

a. Jusqu'au mois prochain.
b. À partir de janvier.
c. Le 8 mars.
d. Seulement un an.
e. Depuis janvier.
f. Il y a trois jours.
g. Depuis huit semaines.

16 **Mettez dans l'ordre.**

Ex. : prépares / En / te / tu / combien de temps / ?
En combien de temps tu te prépares ?

1. pour / tu / est-ce que / mets / ? / Combien de temps / venir ici

....

2. est-ce que / combien de temps / tu / Depuis / ? / travailles / dans cette entreprise

....

3. tu / Pendant / rester / ? / à Rome / combien de temps / vas / est-ce que

....

4. as / ? / tu / Il y a / commencé / que / combien de temps

....

5. à New York / pars / tu / Pour / ? / combien de temps

....

6. En / vous / combien de temps / ? / allez / à la gare

....

17 **Posez des questions avec *combien de temps* et *est-ce que*.**

Ex. : Il n'a pas pris de vacances depuis deux ans.
→ Depuis combien de temps est-ce qu'il n'a pas pris de vacances ?

1. Il part en voyage pour trois semaines.

→ ....

2. Elle sera absente pendant trois mois.

→ ....

3. Ils prennent l'avion dans dix jours.

→ ....

4. Le voyage dure dix heures.

→ ....

5. Elles reviennent dans trois semaines.

→ ....

6. Nous resterons à l'aéroport pendant deux heures.

→ ....

7. Vous n'avez pas rendu visite à votre mère depuis deux mois.

→ ....

1 Complétez avec des expressions de temps. Plusieurs réponses sont possibles.

– Monsieur, me permettez-vous de vous poser quelques questions ?

– Bien sûr.

– .... **(1)** est-ce que vous travaillez dans ce restaurant ?

– Plus de dix ans.

– .... **(2)** quelle année est-ce que vous avez commencé ?

– .... **(3)** 2007.

– .... **(4)** quelle heure est-ce que vous arrivez ici le matin ?

– Ça dépend : parfois, je commence .... **(5)** 5 heures et parfois .... **(6)** 7 heures.

– Avant de travailler ici, vous étiez où ?

– Je suis resté dans un restaurant en province .... **(7)** quatre ans.

– Vous pensez rester ici .... **(8)** combien de temps encore ?

– J'apprends beaucoup ici : j'aimerais rester encore .... **(9)** quelques années

et ensuite, ... **(10)** quatre ou cinq ans, je voudrais ouvrir mon propre restaurant.

2 Complétez l'interview de l'écrivain Maxime Poicard avec les mots de la liste.

le (× 2) • pendant • en • cette • l' • de • à

– Maxime Poicard, bonjour. Votre dernier livre est sorti .... **(1)** semaine. Vous pouvez

nous rappeler la date de votre premier roman ?

– Il est sorti .... **(2)** juillet 2013, pour être précis, ... **(3)** 27 juillet 2013.

– Vous écrivez quand ?

– J'écris tous les jours, même .... **(4)** dimanche, ... **(5)** 9 heures .... **(6)** 13 heures.

– Vous n'écrivez pas .... **(7)** après-midi ?

– Rarement. Je me repose.

– Et vous travaillez .... **(8)** la nuit ?

3 Complétez l'annonce sur les horaires de la bibliothèque avec les mots de la liste.

à partir du • il y a • dans • le (× 2) • jusqu'à • de • à

La direction s'est réunie .... **(1)** deux semaines et a décidé de proposer de nouveaux horaires.

.... **(2)** mois prochain, la bibliothèque sera ouverte .... **(3)** 9 heures .... **(4)**

20 heures. .... **(5)** mardi et .... **(6)** jeudi, il sera possible de rester .... **(7)**

22 heures. .... **(8)** six mois, nous ferons un bilan.

4 Complétez ce mél d'invitation avec des expressions de temps.

Exp : michele.ramond@caramel.fr

Dest : <groupe Amis>

Objet : Diplôme de Julien

Chers amis,

Notre fils Julien vient d'obtenir son diplôme d'ingénieur et nous organisons

une soirée .... samedi 19 mai .... de 20 heures dans notre maison

à La Rochelle. Nous ne nous sommes pas vus .... très longtemps et

nous serons heureux de vous revoir à cette occasion.

Si vous venez en voiture, vous pouvez amener Paul ? Il a eu un accident ....

huit jours et il ne pourra pas conduire .... quatre semaines au moins.

Si vous ne pouvez pas venir, vous pouvez nous téléphoner .... soir,

19 heures, ou .... le week-end.

Merci et à bientôt !

Michèle et Sébastien

5 Soulignez les expressions de temps correctes dans ces extraits de journaux.

SPORTS ■ **Tour du monde à la voile.** Nous sommes sans nouvelles *depuis / dans* quarante-huit heures de Marc Lemarain, un des participants de la course à la voile qui a commencé *il y a / en* une semaine à La Rochelle.

SPORTS ■ **Tour de France.** Les coureurs partent aujourd'hui. Ils prennent le départ cet après-midi *en / à* 14 heures. Pour rappel, *depuis / en* 1926, les participants ont fait 5 747 kilomètres *pour / en* moins de deux semaines.

FAITS DIVERS ■ **Disparition mystérieuse.** La voiture du ministre de l'Éducation a disparu *dans / il y a* environ une semaine. Il a participé à une réunion internationale *du / en* lundi *pour / au* jeudi. C'est donc *pendant / pour* cette période que sa voiture a disparu.

Les adverbes | **11**

❯ Pour décrire une situation
❯ Pour donner une précision

❯ Pour exprimer une habitude
❯ Pour donner une instruction

A Le sens des adverbes

Un adverbe est un mot invariable qui exprime :

la manière	bien, mal, vite, aussi	Vous chantez **bien** !
le temps	hier, aujourd'hui, demain, tôt, tard, longtemps, déjà, bientôt, avant, après	Elles ont dansé **hier** ?
la fréquence	jamais, rarement, souvent, toujours	Je ne dessine **jamais**.
le lieu	ici, là, là-bas, près, loin, dedans, dehors	Vous allez peindre **ici** ?
l'intensité/ la quantité	très, presque, un peu, beaucoup, trop, (pas) assez, peu, moins, plus, autant	Nous écrivons **un peu**. On lit **beaucoup** !

1 Soulignez les deux formes qui donnent le même type d'information.

Ex : *Sur la fréquence* : _Vous dansez toujours_. Vous dansez ici. _Vous dansez très peu souvent_.

1. *Sur la manière* : Vous venez en bus. Vous venez demain. Vous venez à pied.

2. *Sur le temps* : Vous êtes rentrés hier. Vous êtes rentrés ici. Vous êtes rentrés avant.

3. *Sur la fréquence* : Vous ne courez jamais. Vous courez vite. Vous courez rarement.

4. *Sur l'intensité* : Vous lisez peu. Vous lisez beaucoup. Vous lisez tard.

5. *Sur la quantité* : Vous lui écrivez autant ? Vous lui écrivez moins ? Vous lui écrivez bientôt ?

6. *Sur le lieu* : Vous habitez loin ? Vous habitez là-bas ? Vous habitez ensemble ?

7. *Sur le temps* : Vous faites quoi maintenant ? Vous faites quoi dehors ? Vous faites quoi demain ?

2 🎧 23 **Écoutez et indiquez le sens des adverbes.**

Ex. : « Ils sont passés hier. »

	Ex.	1	2	3	4	5	6	7	8	9	10
Manière											
Temps	✔										
Fréquence											
Lieu											
Quantité/intensité											

3 **Dites le contraire avec un mot de la liste.**

dehors • là • ne ... jamais • ~~mal~~ • peu • loin • tard • rarement

Ex. : Flavien conduit bien. Martial conduit mal.

1. Paco arrive tôt. Léonard ....

2. Nour chante toujours. Audrey ....

3. Clément réagit souvent. Gaétan ....

4. Chloé habite près. Baudouin ....

5. Armand joue dedans. Victor ....

6. Jean-Loup travaille beaucoup. Mathieu ....

7. Rémi est ici. Léna est ....

4 **Mme Livingston prend rendez-vous chez le médecin pour son fils. Complétez avec les mots de la liste.**

très • tôt • maintenant • beaucoup • aujourd'hui • hier

– Vous voulez un rendez-vous pour quand ?

– Pour .... **(1)** et le plus .... **(2)** possible ! C'est pour mon fils.

– Qu'est-ce qu'il a ?

– Il n'a rien mangé .... **(3)** soir et il a .... **(4)** mal

à la tête ce matin. Est-ce que nous pouvons venir au cabinet .... **(5)** ?

– Non, le docteur a .... **(6)** de patients. Mais je peux lui dire de passer chez vous.

B Les adverbes en *-ment*

On peut former un adverbe à partir de certains adjectifs. Ces adverbes expriment généralement la manière.

Adjectif terminé par une consonne au masculin	On ajoute **-ment** à l'adjectif au **féminin**.	léger / **légère** ➜ **légère**ment joyeux / **joyeuse** ➜ **joyeuse**ment
Adjectif terminé par une voyelle au masculin	On ajoute **-ment** à l'adjectif au **masculin**.	**vrai** ➜ **vraiment** **poli** ➜ **poliment**
Adjectif terminé par *-ant*, *-ent* au masculin	On change la terminaison : **-ant** ➜ **-amment** **-ent** ➜ **-emment**	méch**ant** ➜ méch**amment** évid**ent** ➜ évid**emment**

⚠ Cas particuliers : *profond* ➜ *profond**ément**, gai* ➜ *gai**ement**, gentil* ➜ *genti**ment**, bref* ➜ *briève**ment**...*

5 **Écrivez l'adjectif au féminin, puis l'adverbe.**

	Adjectif féminin	*Adverbe*
Ex. : régulier	régulière	régulièrement
1. naïf		
2. long		
3. réel		
4. complet		
5. doux		
6. passif		
7. malheureux		
8. fort		
9. frais		
10. lent		
11. fier		

6 **Complétez avec l'adverbe.**

Ex. : *(brutal)* Il lui a parlé brutalement.

1. *(agressif)* Tu m'as critiqué ....

2. *(naturel)* Vous ne vous exprimez jamais ....

3. *(clair)* Nous expliquons tout ....

4. *(sérieux)* Je réagis toujours ....

5. *(sec)* Il s'est adressé à nous ....

6. *(familier)* Elle répond aux questions ....

7. *(vif)* On refuse ....

7 **Complétez avec un adverbe.**

Ex. : Au travail, elles sont assidues. Elles travaillent assidûment.

1. Elle est gentille. Elle t'a aidé(e) ....

2. Vous êtes vraiment polis. Vous nous saluez toujours ....

3. Tu es gai aujourd'hui ! Tu chantes ....

4. Je suis passionné par cette femme, je l'aime ....

5. Nous sommes modérés. Nous agissons ....

6. Chez nos amis, c'est fou. On s'amuse toujours ....

8 Complétez avec l'adjectif ou l'adverbe.

Adjectif	Adverbe
Ex. : patient	patiemment
1. intelligent	....
2.	prudemment
3. bruyant	....
4.	violemment
5. fréquent	....
6.	récemment
7. évident	....
8.	différemment

9 🎧 24 **Écoutez ces phrases entendues dans une réunion professionnelle. Écrivez l'adverbe que vous entendez.**

Ex. : Vous négociez patiemment.

1. Ils réagissent ....

2. Il s'oppose ....

3. Tu approuves ....

4. On prépare ....

5. Je collabore ....

6. Elles interviennent ....

7. Vous réussissez ....

8. Vous avez commencé ....

C Utilisation et place des adverbes

Utilisation de l'adverbe

L'adverbe apporte un complément d'information. Il est utilisé avec :

un adjectif	Il a un **très bon** accent !
un autre adverbe	On la comprend **vraiment bien**.
un verbe	Vous **parlez couramment** le français ?

10 **Complétez les phrases avec *très, trop, beaucoup*.**

> *Très* : avec un adjectif ou un adverbe.
> *Beaucoup* : avec un verbe.
> *Trop* : avec un verbe, un adjectif ou un adverbe.

Ex. : Je ne pourrai pas finir ce chapitre ce soir, c'est impossible : il est trop long.

1. Tu révises ...., c'est bien mais tu ne mémorises pas tout !

2. On fait .... attention parce que les détails sont importants.

3. Les résumés sont .... courts, il manque des informations essentielles.

4. Nous sommes .... motivés, nous voulons absolument réussir.

5. Vous devez vous concentrer sur les titres, ça aide .... à comprendre le texte !

6. Ils vérifient ...., c'est inutile, ils perdent du temps.

Place de l'adverbe

Avant un adjectif	Nous sommes **peu sûrs** de nous-mêmes.
Avant un autre adverbe	Je pratique une autre langue **assez rarement**.
Après le verbe à un temps simple	Elles **auront certainement** un bon résultat !
Entre l'auxiliaire et le participe passé à un temps composé	Ils nous **ont réellement impressionnés**. Tu t'**es vite corrigé**.
Entre *aller* et l'infinitif au futur proche	Vous **allez beaucoup progresser**.

11 **Transformez les phrases avec l'adverbe.**

Ex. : Je connais le monde de l'entreprise. *(bien)* → Je connais bien le monde de l'entreprise.

1. Ils ont une bonne relation. *(très)*

→ ....

2. On a fait ce travail rapidement. *(assez)*

→ ....

3. Vous êtes stressés. *(trop)*

→ ....

4. Nous nous habituons. *(vite)*

→ ....

5. Elle travaille chez elle. *(rarement)*

→ ....

6. Tu travailles trop. *(vraiment)*

→ ....

12 **Mettez dans l'ordre ces informations sur la santé. Deux réponses sont possibles.**

Ex. : soignés / mieux / ont été / dans cet hôpital / Ils
Ils ont été mieux soignés dans cet hôpital.

1. J' / un rendez-vous / obtenu / déjà / avec le spécialiste / ai

....

2. toujours / ont / Les infirmières / patientes / été

....

3. été / blessée / Elle / très / a / gravement / n' / pas

....

4. Vous / rarement / malade / été / avez

....

5. Le chirurgien / vous / très / opéré / a / bien

....

6. m' / très / On / a / rapidement / aux urgences / transporté

....

13 **Transformez les phrases au temps indiqué.**

Ex. : Il pleut beaucoup cet après-midi.
→ *(futur proche)* Il va beaucoup pleuvoir cet après-midi.

1. Nous avons trop chaud.

→ *(passé composé)* ....

2. Vous vous arrêtez peu.

→ *(passé composé)* ....

3. J'aime vraiment ces paysages.

→ *(passé composé)* ....

4. Tu as très bien marché.

→ *(présent)* ....

5. On est vite arrivés.

→ *(futur proche)* ....

6. Ils vont déjà faire une pause.

→ *(passé composé)* ....

7. J'ai pris de très longues vacances.

→ *(présent)* ....

BILAN

1 M. Montesquieu raconte sa journée à Bordeaux. Complétez avec les adverbes de la liste.

**assez tôt • hier • vraiment bien • autrement • tranquillement • trop •
très facilement • assez • absolument • assez longtemps**

– Comment s'est passée votre journée à Bordeaux .... **(1)**,

monsieur Montesquieu ?

– .... **(2)** ! On est partis .... **(3)** le matin.

Dans le train, on a pu lire le guide touristique .... **(4)**.

– Le train pour une journée ! Vous n'avez pas pu voyager .... **(5)** ?

– Non, le train, c'est .... **(6)** rapide et pas .... **(7)** cher.

– Vous avez goûté les cannelés à la vanille ?

– Bien sûr ! On les trouve .... **(8)**, ils sont .... délicieux **(9)** !

– Et les caves ? Vous avez pu en visiter ?

– Non, nous ne sommes pas restés .... **(10)** pour ça.

2 Voici des instructions entendues dans une maison de couture. Soulignez la forme correcte.

À un mannequin : Avancez *lentement / distinctement* **(1)**, vous avez le temps, voilà !

Souriez *presque / un peu* **(2)** mais pas *trop / près* **(3)** ! Tournez, puis vous pouvez repartir

plus / toujours **(4)** *vite / mal* **(5)** !

À un photographe de mode : Approchez de votre modèle. Regardez-le *bientôt / bien* **(6)**.

Observez-le *attentivement / heureusement* **(7)**. Parlez-lui *peu / toujours* **(8)** pour ne pas

le déconcentrer. Ainsi vos photos seront *beaucoup / bien* **(9)** réussies !

3 Complétez les bulletins scolaires de Bilal et Esther avec un adverbe.

très • principalement • assez • bien • plus

L'équipe des enseignants est satisfaite ! Bilal travaille ....

Il progresse .... en français, il participe ....

que l'année dernière. Il est .... attentif, mais pas ....

rapide. Trimestre positif !

encore • trop • réellement • parfois

Esther est bavarde, ... bavarde ! C'est ....

un problème. Et elle ne travaille pas, c'est dommage ! Mais elle est dynamique, et elle peut

.... progresser en gymnastique avant le championnat : elle a

.... des compétences !

4 **Complétez ces slogans publicitaires avec les mots de la liste.**

a. trop • aujourd'hui • tard • demain

Un film de
Jules Audior
En silence

« Vous devez voir ce film

.... ! »

« ....,

il sera .... ! »

b. très • totalement • là-bas

L'Afrique du Sud !

...., vous vivrez une expérience

unique ! Vous verrez des paysages

.... protégés. Vous pourrez

visiter le .... impressionnant

parc Kruger.

c. trop • bientôt • mal • vite

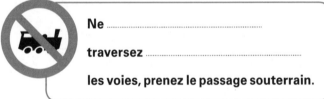

Vous êtes .... stressé ? Vous dormez .... ?

Prenez .... la **vitamine BIANE** et retrouvez .... la forme !

5 **Choisissez l'adverbe correct et placez-le au bon endroit.**

a. beaucoup • jamais • longtemps

Ne ....

traversez ....

les voies, prenez le passage souterrain.

b. toujours • très • trop

Attention !

Vous devez

....

porter

....

un casque avant d'entrer.

c. définitivement • près • loin

(M) Station ....

fermée ....

d. correctement • trop • très

Merci de ....

ranger ....

les journaux et les magazines.

e. autant • beaucoup • ici

Les plateaux

doivent être

....

déposés

....

Les pronoms personnels compléments

❯ Pour désigner une personne, un lieu, une chose
❯ Pour donner des informations sur un lieu

❯ Pour préciser une quantité
❯ Pour dire ce que l'on fait

A Les pronoms compléments d'objet directs et indirects

Pronoms compléments d'objet directs (COD)	Pour remplacer **une personne**	me (m') te (t') nous vous	Stéphane **nous** connaît.
	Pour remplacer **une personne ou une chose**	le, la, l', les	Virginie adore **sa maison**. = Virginie **l'**adore. Emma n'entend pas **les enfants**. = Emma ne **les** entend pas.
Pronoms compléments d'objet indirects (COI)	Pour remplacer **une personne**	me (m') te (t') lui nous vous leur	Stéphane **lui** téléphone. Virginie **t'**écrit. Emma ne **leur** répond pas.

1 **Cochez la réponse correcte.**

Ex. : Je <u>leur</u> montre mes photos. ☐ les copains ☑ aux copains

1. Je <u>la</u> regarde pour savoir l'heure. ☐ à ma montre ☐ ma montre

2. Nous <u>les</u> aimons beaucoup. ☐ à nos amis ☐ nos amis

3. On <u>lui</u> téléphone pour prendre rendez-vous. ☐ au dentiste ☐ le dentiste

4. Tu <u>lui</u> parles fort. ☐ ta grand-mère ☐ à ta grand-mère

5. Tu <u>leur</u> fais confiance ? ☐ aux hommes politiques ☐ les hommes politiques

6. Elle <u>lui</u> ressemble beaucoup. ☐ à sa mère ☐ sa mère

2 🎧 25 **Écoutez les phrases et complétez avec le pronom correct.**

Ex. : « J'appelle mon ami ce soir. » → Je l'appelle ce soir.

1. Tu ne .... connais pas ?

2. Nous .... annonçons la bonne nouvelle.

3. Pourquoi est-ce que tu ne ...... réponds pas ?

4. Vous .... appréciez ?

5. Je .... envoie ce mél.

6. Ils ne .... disent pas toujours la vérité.

7. Vous .... prévenez ?

8. Tu .... téléphones.

3 **Élise interroge Camille sur les invités de son dîner d'anniversaire. Complétez avec *les* ou *leur*.**

– Camille, tu invites tous tes copains pour ton anniversaire ?

– Non, je ne les invite pas tous. Mon appartement n'est pas assez grand. Muriel et Laure,

je .... **(1)** invite, c'est sûr, je .... **(2)** aime vraiment beaucoup.

– Et Fabien et Vanessa, ils seront là ?

– Non, je ne .... **(3)** parle pas en ce moment.

– Tu ne .... **(4)** contactes jamais ?

– Non, je ne .... **(5)** téléphone plus ! Je ne .... **(6)** vois plus depuis très longtemps.

– Et tu .... **(7)** prépares quoi comme gâteau, à tous tes invités ?

– Un gâteau au chocolat ! J'espère que ça .... **(8)** plaira.

4 **Adrien fait du bruit et dérange son frère. Sa mère lui demande d'arrêter. Complétez avec *me, m', la, lui* ou *l'*.**

– Adrien, tu déranges ton frère !

– Mais, je ne lui fais rien !

– Si, avec la télévision, tu .... **(1)** empêches de travailler.

– D'habitude, il .... **(2)** dérange avec sa musique, et quand je .... **(3)** demande de .... **(4)**

arrêter, il .... **(5)** met plus fort ! Vraiment il .... énerve **(6)** !

– Écoute, il a un examen demain, alors, tu .... **(7)** laisses tranquille, s'il te plaît !

B **Le pronom *y***

Y remplace le nom d'un lieu où l'on va	Tu vas **à la gare** ? – Oui, j'**y** vais.
Y remplace le nom d'un lieu où l'on est	Il habite **à Toulouse** ? – Non, il n'**y** habite plus.

5 **Mettez dans l'ordre.**

Ex. : Tu connais les Alpes ? (souvent / y / j' / vais) – Oui, j'y vais souvent.

1. Louis et Émilie habitent encore à Lille ? (plus / n' / ils / habitent / y)

– Non, ...

2. Elles connaissent bien Bordeaux ? (elles / travaillent / et / y / y / vivent / elles)

– Oui, ...

3. Tu viens avec moi en Bretagne ? (n' / retournerai / plus / je / y)

– Non, ...

4. Vous aimez Marseille ? (régulièrement / s' / arrête / on / y)

– Oui, _____

5. Elle part avec toi à Strasbourg ? (allons / ensemble / y / nous)

– Oui, _____

6. Vous connaissez le Massif central ? (y / passe / souvent / on / les vacances)

– Oui, _____

6 **Deux touristes étrangers parlent de la France. Complétez avec les verbes au présent et le pronom *y*.**

– Vous aimez Paris, Karl ?

– Oui, j' y vais *(aller)* très souvent en vacances, mais je _____ **(1)** *(ne pas vivre)* !

– Vous _____ **(2)** *(ne pas y rester)* longtemps, alors ?

– C'est vrai, mais ma sœur _____ **(3)** *(être)* étudiante alors j'_____ **(4)**

(passer) régulièrement. Et vous ?

– Moi, j'adore le sud de la France. Il _____ **(5)** *(faire)* beau et chaud, et

on _____ **(6)** *(manger)* très bien. J'_____ **(7)** *(avoir)* beaucoup d'amis.

C Le pronom *en*

	Forme affirmative	Forme négative
***En* remplace une quantité**	Il a **un ordinateur** ici ? – Oui, il **en** a un.	– Non, il n'**en** a pas.
	Vous mangez **du fromage** ? – Oui, j'**en** mange.	– Non, je n'**en** mange pas.
	Vous avez **des frères** ? – Oui, j'**en** ai trois.	– Non, je n'**en** ai pas.
***En* remplace un lieu d'où l'on vient**	Il revient **de la gare** ? – Oui, il **en** revient à l'instant.	– Il n'**en** revient pas avant midi.

7 **Mettez dans l'ordre.**

1. (j' / chaque jour / en / bois / un litre) De l'eau, _____

2. (il / beaucoup / n' / pas / mange / en) Du sucre, _____

3. (pour nous / prépare / en / elle / ce soir) De la salade, _____

4. (achète / on / en / pas souvent / n') Des gâteaux, _____

5. (trop / tu / mets / en) Du sel, _____

6. (pas / en / elle / n' / veut) Du pain, _____

8 **Transformez comme dans l'exemple.**

Ex. : J'emporte deux maillots de bain.

→ Des maillots de bain, j'en emporte deux.

1. Tu prends trois robes.

→ Des robes, ...

2. On prévoit une dizaine de chemises.

→ Des chemises, ...

3. Elle prépare trois paires de sandales.

→ Des sandales, ...

4. Nous avons une paire de lunettes de soleil.

→ Des lunettes de soleil, ...

5. Vous mettez beaucoup de tee-shirts.

→ Des tee-shirts, ...

6. Il achète un tube de crème solaire.

→ De la crème solaire, ...

9 **Robin donne des informations sur son appartement. Répondez avec le pronom *en*.**

Ex. : Dans votre appartement, vous avez une baignoire ? – Oui, nous en avons une.

1. Vous avez un balcon ? – Non, on ....

2. Vous avez une salle de jeux ? – Oui, nous ....

3. Vous avez une alarme ? – Non, on ....

4. Et dans l'immeuble, il y a un parking ? – Non, ...

5. Il y a un ascenseur ? – Oui, il ....

6. Dans la résidence, il y a une piscine ? – Oui, il ....

10 **Répondez avec le pronom *en*.**

Ex. : Vous êtes encore au bureau ? – Non, j'en sors. *(sortir / je)*

1. Vous venez au café avec nous ? – Non, merci, ... *(venir / on)*

2. Elle part au restaurant ? – Non, ... *(arriver / elle)*

3. Tu vas à la poste ? – Non, ... *(revenir / je)*

4. Vous allez à l'accueil ? – Non, ... *(venir / je)*

5. Tu es encore à la maison ? – Non, ... juste. *(partir / je)*

6. Comment je ressors du garage ? – .... par là. *(ressortir / tu)*

D Le pronom *en* ou les pronoms *le, la, l', les* ?

en		le, la, l', les	
Une veste ?	– J'**en** mets **une**. – Je n'**en** mets pas.	Ma veste noire ?	– Je **la** mets souvent. – Je ne **la** mets jamais.
Des amis ?	– J'**en** invite souvent.	Mes amis ?	– Je **les** invite souvent.

11 **Soulignez le pronom correct.**

Ex. : Qui finit le gâteau ?

– *J'en* / *Je le* mange un peu et vous *en* / *le* terminez, d'accord ?

1. Vous prenez ces trois pantalons ?

   – Non, *je les* / *j'en* prends un seul, c'est plus raisonnable.

2. Il prend ses médicaments ?

   – Il *le* / *en* prend deux ; les autres, il *n'en* / *ne les* prend plus.

3. Vous connaissez les châteaux de la Loire ?

   – Nous *n'en* / *ne les* connaissons pas tous. On *les* / *en* visite cinq l'été prochain.

4. Vous avez des vidéos espagnoles ?

   – Oui, *j'en* / *je les* ai beaucoup mais *je ne les* / *je n'en* regarde pas en VO.

5. Elle lit le roman *Germinal* d'Émile Zola en français ?

   – Oui, elle *en* / *le* lit pour son examen mais elle *en* / *le* lit cinq chapitres seulement.

   Elle *le* / *en* finira pendant les vacances.

12 **Complétez avec *en, en ... un, en ... une, le, la, l'* ou *les*.**

Ex. : Des lunettes ? Non, je n'en porte pas *(ne pas porter)*.

1. Un chapeau ? J'.. *(mettre)* quelquefois.

2. Mes lunettes ? Je .... *(chercher)* tout le temps.

3. Une veste élégante ? Oui, j'.. *(avoir)*.

4. Mes bottes ? Je .... *(mettre)* quand il pleut.

5. Un anorak noir ? Je .... *(ne pas avoir)*.

6. Ma robe longue ? Je .... *(porter)* quand je vais à l'opéra.

7. Mon parapluie ? Je .... *(emporter)* toujours avec moi.

8. Des nouvelles sandales ? Non, je .... *(ne pas chercher)*.

9. Un manteau ? J'.. *(acheter)* demain.

E La place des pronoms compléments

	Forme affirmative	Forme négative
Devant le verbe conjugué à un temps simple	Je **le connais** bien. Ils **y seront** demain. Elle **en faisait** souvent.	Tu **ne la connais pas** bien. Nous **n'y serons pas** avec eux. Il **n'en faisait pas** du tout.
Devant *avoir* **ou** *être* **dans les temps composés**	Nous **lui avons parlé** hier.	Vous **ne lui avez pas parlé** hier.
Devant un infinitif	Vous **veux en boire** un peu ? Tu **vas le voir** samedi.	On **ne veut pas en boire** beaucoup. On **ne va pas le voir** samedi.

13 **Mettez dans l'ordre.**

1. concert / emmène / Je / vous / au ....

2. y / retrouve / On / des amis ....

3. Vous / offrez / leur / les billets ....

4. acceptent / Ils / ne / pas / les ....

5. partie / une / Ils / en / paient ....

6. Vous / au revoir / dites / leur ....

14 **Répondez de façon négative.**

Ex. : La télé, vous la regardez ? – Non, nous ne la regardons pas, nous n'avons pas le temps.

1. Du sport, ils en font ? – Non, ils ...., ils n'aiment pas ça.

2. Cette émission, tu l'écoutes ? – Non, je ...., ce n'est pas intéressant.

3. Tu lui racontes le film ? – Non, je .... le film, il est trop violent.

4. On y va ensemble ? – Non, on .... ensemble, c'est loin.

5. Je vous attends ? – Non, vous ...., c'est inutile.

6. Vous leur écrivez souvent ? – Non, nous .... souvent.

15 **Yann raconte une soirée entre amis. Mettez dans l'ordre.**

Ex. : à / Mes amis / leur anniversaire / invité / ont / m' • Mes amis m'ont invité à leur anniversaire.

1. ai / apporté / une boîte de chocolats / Je / leur ....

2. m' / Ils / ont / des crêpes / préparé ....

3. avons / en / laissé / n' / Nous / pas ....

4. appelé / Ils / m' / ont / un taxi ....

5. ai / longtemps / Je / attendu / pas / l' / ne ....

6. ai / Je / leur / vers minuit / dit / au revoir ....

BILAN

1 **Mettez dans l'ordre ce projet de visite au château de Vaux-le-Vicomte.**

1. voudrais / Je / le / visiter ....

2. aller / penses / bientôt / voir / Tu / le / ? ....

3. y / Je / souhaite / pas / aller / ne / seul ....

4. Tu / avec / visiter / veux / ? / mes copains / le ....

5. vous / ne / Je / veux / déranger / pas ....

6. nous / ne / Tu / pas du tout / dérangeras ....

7. va / en / y / On / ? / voiture ....

8. te / viens / chercher / demain matin / Oui, je ....

2 **Un couple parle des vacances de leur amie Claire. Complétez avec *en, les* ou *y*.**

– Claire a aimé la Grèce ?

– Oui. Elle .... **(1)** a passé deux mois l'été dernier et elle .... **(2)** retourne encore deux semaines

au mois d'août. Elle va avoir chaud !

– En août, c'est sûr, il .... **(3)** fait très chaud. Et tu sais ce qu'elle va .... **(4)** faire ?

– Elle veut revoir Athènes et les îles.

– Les îles, elle .... **(5)** connaît déjà, non ?

– Oui, elle .... **(6)** connaît plusieurs. Elle va .... **(7)** revenir enchantée, comme d'habitude !

– Oui, et elle va .... **(8)** parler à tout le monde ! Ses aventures, on va .... **(9)** entendre pendant

des mois...

– Ne sois pas jaloux ! Moi aussi, j'ai très envie d'............. **(10)** aller.

3 **Complétez avec un pronom.**

À la récréation

– Tu connais ce jeu de cartes ?

– Mon cousin .... **(1)** a un, mais je ne .... **(2)** connais pas.

– Moi, j'aime bien .... **(3)** jouer. Je vais .... **(4)** expliquer la règle. Tu es prêt ?

Au dîner

– Il y a de la tarte, tu .... **(5)** veux ?

– J'............. **(6)** veux bien un petit morceau. C'est toi qui fais les gâteaux ?

– Oui, je .... **(7)** trouve meilleurs qu'à la pâtisserie.

En réalité, à la pâtisserie, je n'............. **(8)** vais pas souvent !

BILAN

4 Les lecteurs d'*Animaux Mag* parlent de leurs animaux. Soulignez la forme correcte.

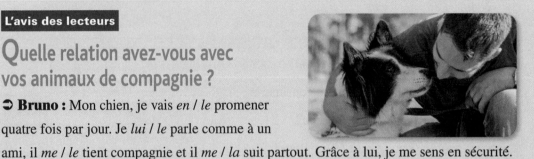

L'avis des lecteurs

Quelle relation avez-vous avec vos animaux de compagnie ?

➲ **Bruno :** Mon chien, je vais *en / le* promener quatre fois par jour. Je *lui / le* parle comme à un ami, il *me / le* tient compagnie et il *me / la* suit partout. Grâce à lui, je me sens en sécurité.

➲ **Lucia :** Nos oiseaux, nous aimons *les / leur* regarder et nous aimons *les / leur* entendre chanter. Bien sûr, nous ne *les / leur* laissons pas en liberté dans la maison, nous *y / les* mettons dans une cage.

➲ **Suzanne :** Notre passion, ce sont les poissons rouges. Nous *en / leur* avons cinq, nous ne pouvons pas *les / leur* parler mais nous adorons *le / les* regarder jouer ensemble, ça *nous / leur* calme !

Animaux Mag   15

5 Complétez les devinettes du magazine *Réponses à tout* avec un pronom. Puis écrivez les réponses des devinettes.

l'ordonnance • les médicaments • les urgences • le chirurgien

Quiz Express SANTÉ

✔ On .... prend quand on va mal. Il faut .... ranger

dans un endroit sûr et il ne faut pas .... laisser près des enfants.

➜ Ce sont ....

✔ C'est le médecin qui .... écrit. On .... lit très attentivement,

on s'............................ sert pour acheter les médicaments.

➜ C'est ....

✔ On va .... voir quand on a besoin d'une opération.

On .... rencontre généralement dans un hôpital.

➜ C'est ....

✔ On peut .... téléphoner le jour et la nuit, elles sont toujours ouvertes.

Mais on ne doit pas .... déranger pour rien.

➜ Ce sont ....

Réponses à tout ■ 18

L'impératif 13

❯ Pour donner une consigne, un ordre
❯ Pour donner un conseil

❯ Pour faire une suggestion
❯ Pour donner une instruction

A Les formes affirmative et négative

	Forme affirmative	Forme négative
Formation régulière mêmes formes que le présent	**Prends** une photo ! **Attendons** ici ! **Faites** demi-tour !	**Ne prends pas** de photo ! **N'attendons pas** ici ! **Ne faites pas** demi-tour !
Verbes en -er pas de -s à la 2ᵉ pers. du singulier	**Parle** plus fort ! **Va** là-bas !	**Ne parle pas** fort ! **Ne va pas** là-bas !
Verbes irréguliers - ÊTRE : sois, soyons, soyez - AVOIR : aie, ayons, ayez - SAVOIR : sache, sachons, sachez	**Sois** à l'heure ! **Ayez** confiance ! **Sachons** être patients !	**Ne sois pas** en retard ! **N'ayez pas** peur !

(!) *Vouloir* : **veuillez** (surtout utilisé dans la correspondance écrite).
Ex. : *Veuillez agréer, Madame, mes sentiments les meilleurs.*

---

1 Conjuguez à l'impératif.

Ex. : Conjuguer les verbes *(tu)* • Conjugue les verbes !

1. Écrire la phrase *(tu)* ....

2. Faire comme l'exemple *(vous)* ....

3. Associer les mots *(tu)* ....

4. Transformer les phrases *(tu)* ....

5. Mettre les mots dans l'ordre *(vous)* ....

6. Répondre à la question *(vous)* ....

7. Souligner les mots *(tu)* ....

8. Cocher la réponse correcte *(tu)* ....

9. Choisir le verbe *(vous)* ....

10. Lire la consigne deux fois *(vous)* ....

11. Écouter attentivement *(tu)* ....

12. Compléter le texte *(vous)* ....

2 **Transformez ces suggestions à l'impératif.**

Ex. : Vous devez aimer ce que vous faites.
→ Aimez ce que vous faites !

1. Tu dois être toi-même.

→ ....

2. Il faut penser à toi.

→ ....

3. Tu dois dire ce que tu penses.

→ ....

4. Vous devez faire du sport.

→ ....

5. Tu dois marcher.

→ ....

6. Vous devez réfléchir avant d'agir.

→ ....

7. Vous ne devez pas chercher à plaire à tout le monde.

→ ....

8. Vous devez savoir refuser les invitations.

→ ....

9. Vous ne devez pas faire attention aux critiques.

→ ....

3 **Marlène prend sa première leçon de conduite. Complétez les instructions du moniteur avec les verbes à l'impératif.**

Vous êtes prête ? Démarrez (démarrer) ! .... **(1)** (regarder) dans le rétroviseur ! .... **(2)** (ne pas être) nerveuse comme ça, tout ira bien ! Oui, c'est ça, ... **(3)** (accélérer) un peu maintenant ! Mais .... **(4)** (ne pas aller) trop vite ! .... **(5)** (ralentir) ! .... **(6)** (tourner) à gauche ! .... **(7)** (ne pas oublier) de mettre le clignotant avant de tourner ! .... **(8)** (ne pas prendre) la première rue, mais la deuxième ! C'est bien ! Maintenant, ... **(9)** (arrêter) le moteur. .... **(10)** (respirer). Vous avez bien écouté mes conseils. .... **(11)** (être) confiante. Alors, comment vous sentez-vous ?

B L'impératif des verbes pronominaux

Forme affirmative	Forme négative
Lève-toi !	**Ne** te lève **pas** !
Asseyons-nous !	**Ne** nous asseyons **pas** !
Couchez-vous !	**Ne** vous couchez **pas** !

⚠ Attention au trait d'union (-) entre les verbes et les pronoms à la forme affirmative.

4 🎧26 **Écoutez les consignes du professeur de gymnastique. Indiquez si le verbe est pronominal ou non.**

Ex. : « Assieds-toi ! »

	Ex.	1	2	3	4	5	6	7	8	9	10
Verbe pronominal	✔										
Verbe non pronominal											

5 Mettez dans l'ordre.

Ex. : nous / - / de / aux clients / répondre / Dépêchons / !
Dépêchons-nous de répondre aux clients !

1. Préparez / à / une réunion difficile / vous / - / !

....

2. toi / vite / - / Décide / !

....

3. vous / parler en public / - / Habituez / à / !

....

4. Ne / pas / inquiétez / vous / !

....

5. Intéressez / aux nouvelles propositions / vous / - / !

....

6. pas / te / Ne / trompe / de dossier / !

....

7. vous / Ne / occupez / des problèmes informatiques / pas / !

....

8. nous / - / Assurons / tout va bien / que / !

....

6 **Transformez comme dans l'exemple.**

Ex. : Ne t'énerve pas ! → *(vous)* Ne vous énervez pas !

1. Reposez-vous un moment ! → *(tu)* .... un moment !

2. Ne nous disputons pas ! → *(vous)* .... !

3. Exprimez-vous poliment ! → *(tu)* .... poliment !

4. Ne vous inquiétez pas ! → *(tu)* .... !

5. Ne te mets pas en colère ! → *(vous)* .... en colère !

6. Ne vous dépêchez pas ! → *(tu)* .... !

7. Lève-toi ! → *(vous)* .... !

8. Rasez-vous ! → *(tu)* .... !

9. Calmez-vous ! → *(tu)* .... !

7 **Dites le contraire.**

Ex. : Ne vous levez pas ! → Levez-vous !

1. Asseyez-vous ! → ....

2. Ne te mets pas ici ! → .... ici !

3. Baisse-toi ! → ....

4. Dépêchez-vous ! → ....

5. Ne vous allongez pas ! → ....

6. Installons-nous ici ! → .... ici !

7. Écarte-toi d'ici ! → .... d'ici !

8. Ne vous approchez pas ! → ....

9. Arrêtons-nous là ! → .... là !

C L'impératif et les pronoms compléments

Forme affirmative	Forme négative
Regarde-**moi** !	**Ne me** regarde **pas** !
Écoutons-**le** !	**Ne l'**écoutons **pas** !
Téléphonez-**lui** !	**Ne lui** téléphonez **pas** !
Achète**s**-**en** !	**N'en** achète **pas** !
Vas-**y** !	**N'y** va **pas** !

⚠ À la forme affirmative, le pronom *moi* est COD et COI.

8 **Associez les questions aux suggestions correspondantes.**

1. Vous voulez acheter ces chaussures de ski ?
2. Votre plante ne pousse pas bien ?
3. C'est l'anniversaire de vos parents ?
4. Le cinéma en 3D vous donne mal à la tête ?
5. Votre ami(e) vous envoie un mél ?
6. Vous voulez des places pour l'opéra ?
7. Vous avez des problèmes ?

a. Répondez-lui !
b. Prenez-les dans une pointure plus grande !
c. N'y allez plus !
d. Placez-la à la lumière !
e. Offrez-leur une croisière !
f. Parlez-en à votre meilleur ami !
g. Réservez-les à l'avance !

9 **Mettez dans l'ordre. Puis associez.**

Ex. : perds / la / pas / Ne
Ne la perds pas !

1. Fais / deux fois par semaine / - / le / !

   ....

2. - / les / chaque matin / Ouvre / pour aérer / !

   ....

3. le soir / Promène / le / - / !

   ....

4. leur / pas / Ne / trop à manger / donne / !

   ....

5. trop souvent / les / pas / arrose / Ne / !

   ....

6. lui / « bonjour » / - / Dis / pour moi / !

   ....

a. À la voisine.
b. La clé.
c. Les fenêtres.
d. Le chien.
e. Les plantes.
f. Le ménage.
g. Aux poissons rouges.

10 **Transformez ces recommandations comme dans l'exemple.**

Ex. : Vous voulez regarder la télé ? Regardez-la mais ne la regardez pas après le dîner.

1. Tu veux aller au cinéma ? .... mais .... trop tard !

2. Vous voulez utiliser l'ordinateur ? .... mais .... trop longtemps !

3. Tu veux manger des bonbons ? .... mais .... le soir !

4. Vous voulez appeler vos amis ? .... mais .... pour rien !

5. Tu veux inviter tes copains ? .... mais .... tous les jours !

6. Vous voulez prendre la voiture ? .... mais .... lundi prochain !

BILAN

❶ Conjuguez à l'impératif aux personnes indiquées.

1. Parler *(tu)* • .... plus fort !

2. S'asseoir *(vous)* • .... !

3. Être *(vous)* • .... patients !

4. Faire *(vous)* • .... attention !

5. Aller *(tu)* • .... plus lentement !

6. Rester *(tu)* • .... avec nous !

7. Aller *(tu)* • ....-y !

8. S'inscrire *(vous)* • .... vite !

9. Se calmer *(tu)* • ....

10. Acheter *(tu)* • .... du thé !

❷ Mettez dans l'ordre.

1. Je vais me lever à midi. • toi / plus / - / tôt / lève / Non, / !

   – ....

2. On va s'inscrire au marathon. • inscrivez / - / vous / vite / Oui, / !

   – ....

3. Je vais sur la plage. • Non, / y / pas / va / n' / !

   – ....

4. On va se baigner dans la rivière. • Non, / pas / là / ne / baignez / vous / !

   – ....

5. On doit faire plus de sport. • N' / pas / trop / faites / en / !

   – ....

6. Je vais acheter une planche de surf. • ici / Achètes / une / - / en / !

   – ....

❸ Luc veut faire du roller. Complétez les consignes de son père à l'impératif.

On va se mettre là-bas pour commencer. Il y a un banc là, ... **(1)** *(s'asseoir)* ici

tous les deux et .... **(2)** *(mettre)* nos rollers ! Regarde les rollers, ce n'est pas

compliqué, ... **(3)** *(faire)* comme moi ! .... **(4)** *(se mettre)* debout

et .... **(5)** *(essayer)* de rester en équilibre ! .... **(6)** *(ne pas avoir)*

peur ! .... **(7)** *(ne pas être)* nerveux ! Oui, c'est bien ! .... **(8)**

(me donner) la main. Maintenant, ... **(9)** *(avancer)* le pied gauche puis l'autre pied !

Attention à tes genoux ! .... **(10)** *(ne pas les plier)* trop ! Comme ça, c'est bien !

.... **(11)** *(continuer)* ! Attention, ... **(12)** *(ne pas écarter)*

trop les jambes ! .... **(13)** *(les garder)* parallèles ! Maintenant, ... **(14)**

(y aller) ensemble !

BILAN

4 Complétez la recette avec les verbes de la liste à l'impératif.

mettre • laisser • verser • casser • ajouter • mélanger • faire • choisir

Recette :

Les crêpes

Ingrédients
- 250 g de farine
- 4 œufs
- 1 cuillère à soupe d'huile
- 2 cuillères à soupe de sucre
- ½ litre de lait
- un peu de sel

1 .... la farine dans un grand bol.

2 .... les œufs sur la farine.

3 .... le lait progressivement.

4 .... la pâte lentement.

5 .... l'huile, le sucre et le sel.

6 .... la pâte dans le bol (2 h environ).

7 .... les crêpes une à une.

8 .... une bonne confiture à étaler sur la crêpe.

5 Transformez à l'impératif. Puis complétez cette affiche d'une association écologiste.

▶ Vous <u>ne</u> devez <u>plus jeter</u> les **déchets**. Vous devez <u>les trier</u>. Vous devez <u>les recycler</u>.

▶ Vous <u>ne</u> devez <u>plus mettre</u> vos **vieux vêtements** à la poubelle. Vous devez <u>les donner</u> à une association.

▶ Vous <u>ne</u> devez <u>plus utiliser</u> de **sacs en plastique**. Vous devez <u>vous acheter</u> des sacs en coton, par exemple.

▶ Vous <u>ne</u> devez <u>pas avoir</u> peur d'**être différent**. Vous devez <u>agir</u>. Vous <u>ne</u> devez <u>pas hésiter</u>.

Association QUARTIER PROPRE

▶ .... les **déchets** !

.... ! .... !

▶ .... vos **vieux vêtements** à la poubelle !

.... à une association !

▶ .... de **sacs en plastique** !

.... des sacs en coton, par exemple !

▶ .... peur d'**être différent** !

.... ! .... !

Après, il sera trop tard !

14 Les pronoms relatifs
qui, que et *où*

❯ Pour décrire une chose ou une personne
❯ Pour donner une précision

❯ Pour parler d'un lieu ou d'un moment
❯ Pour faire le portrait d'une personne

A Les pronoms relatifs *qui* et *que*

Qui est sujet et remplace une chose ou une personne	J'adore **les jeux qui** demandent beaucoup d'imagination. Je déteste **les joueurs qui** n'aiment pas perdre.
Que est COD et remplace une chose ou une personne	Ce sont **des règles que** tout le monde connaît. Frank est **un joueur de bridge qu'**on admire !

1 **Complétez les descriptions de ces jeux avec *qui, que* ou *qu'*.**

Le bridge est un jeu de cartes qui exige une bonne mémoire et .... **(1)** les enfants n'aiment

pas. • Le Scrabble est un jeu .... **(2)** développe le vocabulaire et .... **(3)** on pratique en

famille ou entre amis. • Le jeu des 7 Familles est un jeu .... **(4)** les enfants adorent et .... **(5)**

demande de former des familles. • La Bataille est un jeu de cartes .... **(6)** tout le monde

connaît et .... **(7)** peut durer très longtemps.

2 **Mettez dans l'ordre les petites annonces.**

Ex. : un coéquipier / le permis bateau / a / Je cherche / qui
Je cherche un coéquipier qui a le permis bateau.

1. mon petit chien / les animaux / qui / Je donne / aime / à une personne

....

2. un aspirateur / n'a jamais servi / Nous vendons / qui

....

3. parfaitement / Je vends / fonctionne / qui / une vieille radio

....

4. qui / Nous cédons / d'Amérique du Sud / un lot de 50 timbres / viennent

....

5. les jouets d'enfants / ne vous intéressent plus / Je reprends / qui

....

6. On / des objets / votre vieille décoration / changeront / propose / qui

....

3 **Faites une seule phrase avec** *qui, que* **ou** *qu'.*
Puis écrivez le nom du fruit.

la pomme • le raisin • la banane • l'orange

1. Il vient de la Martinique. On doit l'éplucher. Il est jaune.

Voilà un fruit qui vient de la Martinique, ...

.... : c'est ....

2. Il est rond. Il porte le nom d'une couleur. Les sportifs l'aiment beaucoup. Il contient
de la vitamine C.

Voilà un fruit ....

.... : c'est ....

3. On le trouve à la fin de l'été en Europe. Il est utilisé pour faire du vin. On l'achète en grappes.

Voilà un fruit ....

.... : c'est ....

4. Il peut être vert, jaune ou rouge. Les gens l'achètent régulièrement.

Voilà un fruit ....

.... : c'est ....

4 **Complétez les définitions avec** *qui, que* **ou** *qu'.* **Puis écrivez l'adjectif correspondant.**

timide • nerveuse • désagréable • généreuse • bavarde • impatiente • joyeuse

1. Une personne qui parle trop et .... les autres veulent arrêter :

→ ....

2. Une personne .... pense aux autres et .... les aide si nécessaire :

→ ....

3. Une personne .... ne sait pas attendre et .... fait les choses trop vite :

→ ....

4. Une personne .... rit facilement et .... les gens adorent :

→ ....

5. Une personne .... n'aime pas parler en public et .... rougit facilement :

→ ....

6. Une personne .... on n'aime pas et .... n'écoute pas les autres :

→ ....

7. Une personne .... bouge beaucoup et .... n'est jamais calme :

→ ....

CHAPITRE **14** | Les pronoms relatifs *qui*, *que* et *où*

5 **Ludovic aime Nathalie. Il fait son portrait. Complétez avec *qui* ou *que/qu'.***

J'aime ses yeux verts qui brillent, ses cheveux blonds .... **(1)** bouclent, les beaux bijoux .... **(2)**

elle porte, les vêtements élégants .... **(3)** elle met, la cuisine .... **(4)** elle fait. Mais je n'aime

pas les collègues .... **(5)** je vois avec elle, les livres .... **(6)** ses amis lui offrent, la musique

.... **(7)** elle écoute, son chien .... **(8)** déchire tout et sa mère .... **(9)** dit toujours :

« Ce garçon n'est pas bien pour toi ! »

B Le pronom relatif *où*

***Où* est complément de lieu** (lieu où l'on va, lieu où l'on est)	Voilà le bureau **où** je passe mes journées.
***Où* est complément de temps**	J'ai commencé à travailler l'année **où** je me suis marié.

6 **a. Éric voudrait déménager. Mettez dans l'ordre.**

Ex. : la ville / C'est / habiter / j'aimerais / où
C'est la ville où j'aimerais habiter.

1. un quartier / cherche / il n'y a pas / Je / où / de bruit

....

2. où / baisseront / au moment / Je déménagerai / les prix

....

3. les nuits / J'aime / où / n'entend rien / on

....

4. seront en place / du jour / mes meubles / Je rêve / où

....

5. je m'installerai / le moment / J'attends / où / dans ma maison

....

6. là / tu voudras / J'irai / où

....

b. Notez le numéro des phrases :

- ***où*** est complément de lieu : Exemple, ...

- ***où*** est complément de temps : ....

7 Associez.

```
             ⎧  1.  l'année           •
             ⎪  2.  dans un pays      •
             ⎪  3.  dans une ville    •
             ⎪  4.  le jour           •                    • a. où elle a quitté son travail.
Mélanie est ⎨  5.  au moment         •
partie       ⎪  6.  dans un quartier •                    • b. où elle rêvait de s'installer
             ⎪  7.  le mois           •                          depuis longtemps.
             ⎪  8.  dans un endroit   •
             ⎪  9.  la semaine        •
             ⎩ 10.  dans une région   •
```

8 Transformez avec *c'est* comme dans l'exemple.

Ex. : On part en vacances demain.

→ *(jour)* Demain, c'est le jour où on part en vacances.

1. Ils sont nés à Bordeaux.

→ *(ville)* Bordeaux, ...

2. Elle va s'installer en Normandie.

→ *(région)* La Normandie, ...

3. Nous sommes arrivés ici en 2019.

→ *(année)* 2019, ...

4. Les gens voyagent beaucoup en été.

→ *(saison)* L'été, ...

5. Les étudiants passent leurs examens.

→ *(période)* Juin, ...

6. Je n'aimerais pas aller en Laponie en hiver.

→ *(pays)* La Laponie, ...

7. Je suis née en Côte d'Ivoire.

→ *(pays)* La Côte d'Ivoire, ...

8. Elle peut se reposer le mercredi.

→ *(jour)* Le mercredi, ...

BILAN

1 🎧 **(27)** **Ces gens sont heureux, ils ont tout. Écoutez et indiquez si vous entendez *qui*, *que* ou *où*.**

	1	2	3	4	5	6	7	8	9	10
qui										
que/qu'										
où										

2 **Entourez la forme correcte dans cette lettre d'amour.**

Mon amour, je suis passé hier dans le parc *que / où* **(1)** nous nous sommes rencontrés. J'ai vu les fleurs *que / qu'* **(2)** tu adorais et *où / qu'* **(3)** on voulait prendre en photo. Je me suis souvenu du moment *qui / où* **(4)** nous nous sommes assis pour parler et faire connaissance : les histoires *qui / que* **(5)** tu racontais et moi *où / qui* **(6)** riais ! Et aussi de l'instant *que / où* **(7)** l'orage a éclaté, avec cette forte pluie *qui / que* **(8)** tombait mais *qu' / que* **(9)** on adorait. Et toi, te rappelles-tu ces minutes *où / qui* **(10)** ont été uniques pour nous ?

3 **Bruno pose des questions au vendeur de voitures. Complétez avec *qui*, *que*, ou *où*.**

– Monsieur, cette voiture vous intéresse ?

– Oui, mais c'est une voiture .... **(1)** coûte cher !

– Vous savez, c'est un nouveau modèle .... **(2)** ne demande pas beaucoup d'essence et .... **(3)** vous pouvez adapter avec les options .... **(4)** vous désirez.

– Le prix .... **(5)** est indiqué sur ce modèle correspond à quoi ?

– C'est le prix de base. Voici notre catalogue, ... **(6)** vous pouvez voir tous les modèles .... **(7)** sont disponibles.

– Il y a des modèles électriques ?

– Évidemment, nous produisons deux petites voitures .... **(8)** fonctionnent à l'électricité. Elles sont un peu plus loin. Suivez-moi !

4 **Zoé a appris une langue étrangère. Associez. Deux réponses sont possibles.**

• **A.** prononçait très bien la langue.

1. J'ai eu un professeur •
• **a.** qui •
• **B.** m'intéressaient.

• **b.** que •

2. J'avais des exercices •
• **C.** les élèves respectaient.

• **c.** qu' •

3. Je suis allée dans une région •
• **D.** les habitants étaient accueillants.

• **d.** où •

• **E.** on faisait tous avec plaisir.

BILAN

5 Anne est interviewée à la sortie du cinéma. Complétez avec *qui*, *que* ou *où*.

CANNES – LE JOURNAL DU FESTIVAL

Anne a vu le dernier film de Kore Iza.
Nous l'avons interviewée à la sortie de la projection.

Journaliste : Vous avez aimé le film ?

Anne : Oui, c'est un film .... m'a beaucoup plu. J'ai surtout apprécié le personnage principal, c'est un acteur .... j'adore.

Journaliste : Est-ce que vous vous souvenez de son dernier film ?

Anne : Oui, parfaitement, c'est une histoire .... se passe en Égypte.

Journaliste : Quelle est votre scène préférée ?

Anne : Le moment .... le héros retrouve ses parents bien sûr !

Journaliste : Et qu'est-ce que vous pensez du festival de Cannes ?

Anne : C'est un événement formidable .... le monde entier se retrouve et c'est bien !

Journaliste : Vous y venez souvent ?

Anne : Oui, tous les ans. C'est un moment .... je ne voudrais pas manquer !

Journaliste : À votre avis, qui va gagner la Palme d'or cette année ?

Anne : Nous vivons une période .... on parle beaucoup de violence, une période .... il y a beaucoup d'insécurité. J'espère donc que la Palme reviendra à un film .... apportera de la légèreté et .... fera rêver.

6 Complétez ces devinettes avec *qui, que, qu'* ou *où*.

? Je suis un animal .... on voit peu en Europe, ... pèse très lourd, ... des chasseurs adorent et .... sait bien se défendre.
Je suis ?

L'ours

? Je suis un continent .... on communique en 14 langues et .... il fait froid au nord et chaud au sud.
Je suis ?

L'Europe

? Je suis un objet .... permet de communiquer, ... on peut mettre dans sa poche et .... on stocke les messages.
Je suis ?

Le téléphone portable

? Je suis une saison .... il fait chaud en général dans l'hémisphère Nord et .... dure trois mois.
Je suis ?

L'été

15 La cause et la conséquence

❯ Pour donner une explication
❯ Pour justifier un choix

❯ Pour exprimer la conséquence
❯ Pour raconter des événements

A La cause

Parce que

Pour répondre à la question *pourquoi... ?*	– **Pourquoi** tu ne dis rien ? – **Parce que** je n'ai rien à dire !
Pour donner une explication	Il est triste **parce que** tu ne l'as pas invité.

⚠ *Parce que* devient *parce qu'* devant une voyelle ou un *h* muet.

1 **Complétez les réponses avec *parce que/qu'.* Puis associez.**

1. Pourquoi tu es en colère ?   • a. .... il y a du bruit.

2. Pourquoi ils rient ?   • b. Parce que j'ai perdu mon portable.

3. Pourquoi vous ne mangez rien ?   • c. .... c'est amusant.

4. Pourquoi elle parle fort ?   • d. .... je ne sais pas répondre.

5. Pourquoi tu ne dis rien ?   • e. .... on n'a pas faim.

6. Pourquoi tu gardes ton manteau ?   • f. .... ils ont l'air bizarre.

7. Pourquoi tu les regardes comme ça ? •   • g. .... il fait froid.

2 **Mettez dans l'ordre.**

1. Pourquoi il n'utilise pas son ordinateur ? (en panne / est / il / Parce qu')

   – ....

2. Pourquoi tu as acheté ces livres ? (prépare / Parce que / un examen / je)

   – ....

3. Pourquoi vous prenez ces médicaments ? (malades / sommes / Parce que / nous)

   – ....

4. Pourquoi elle s'habille toujours en noir ? (c'est / Parce que / la mode)

   – ....

5. Pourquoi tu dors sur le canapé du salon ? (mon lit / cassé / Parce que / est)

   – ....

3 **Soulignez la cause. Puis faites une phrase avec *parce que*.**

Ex. : Il fait toujours beau et chaud. Je vais souvent en Corse.
Je vais souvent en Corse parce qu'il fait toujours beau et chaud.

1. Elles font des randonnées. Elles adorent marcher.

....

2. Il aime trop le confort. Il ne fait jamais de camping.

....

3. Elle a peur de l'eau. Elle ne veut pas se baigner.

....

4. Nous n'allons pas au bord de la mer. Nous détestons la plage.

....

5. Ils n'aiment pas le froid. Ils ne partent jamais en hiver.

....

Comme

Pour donner une explication	**Comme** il fait beau, nous allons pique-niquer !

(!) *Comme* se place toujours en début de phrase.

4 **Voici le parcours professionnel de Richard. Mettez dans l'ordre.**

Ex. : un emploi / comme / a trouvé / il /, Richard n'est plus au chômage
Comme il a trouvé un emploi, Richard n'est plus au chômage.

1. son entreprise / comme / un gros bénéfice / a fait

...., il a reçu une augmentation.

2. avait / de bonnes relations / il / avec ses collègues / comme

...., il est resté dans l'entreprise.

3. satisfait de / comme / son patron / était / son travail

...., il a eu une promotion.

4. pas / leurs demandes / comme / ne / satisfaites / sont

...., les employés font grève.

5. en retard / ils / trop souvent / arrivent / comme

...., leur patron veut les renvoyer.

6. je / comme / embauché / suis

...., je vais faire la fête !

5 **Soulignez la cause. Puis faites des phrases.**

Ex. : Il a obtenu un très bon résultat. Il a eu une récompense. *(comme)*
Comme il a obtenu un très bon résultat, il a eu une récompense.

1. Il a perdu son match. Il est triste. *(parce que)*

....

2. Elle n'a pas son permis de conduire. Elle ne peut pas prendre la voiture. *(comme)*

....

3. Il a réussi son examen. Ses amis l'ont félicité. *(comme)*

....

4. Elle a gagné la compétition. Elle a reçu la médaille. *(parce que)*

....

5. On a raté le test. On doit recommencer. *(parce que)*

....

6. Vous ne vous êtes pas entraînés. Ce n'est pas utile de vous inscrire. *(comme)*

....

À cause de et grâce à

Explication négative	à cause de/du/des + **nom** ou **pronom tonique**	On passe de mauvaises vacances à **cause de la pluie**. Il est en retard. On va rater l'avion à **cause de lui**.
Explication positive	grâce à/au/aux + **nom** ou **pronom tonique**	On passe de bonnes vacances grâce au **soleil**. Tu es un bon guide. On a aimé le voyage grâce à **toi**.

6 **Sonia explique pourquoi elle a déménagé. Complétez avec *à cause de l'*, *à cause du*, *à cause de la* ou *à cause des*.**

J'ai quitté cette ville à cause du bruit, ... **(1)** embouteillages, ... **(2)**

environnement, ... **(3)** mauvaise ambiance, ... **(4)** climat,

.... pollution **(5)**, ... **(6)** usines.

.... **(7)** mes voisins, je ne dormais plus. Je devais prendre les escaliers

.... **(8)** pannes d'ascenseur. C'est .... **(9)** nombreux problèmes de

l'immeuble que j'ai voulu déménager.

7 **Sonia explique pourquoi sa vie est plus simple. Entourez la forme correcte.**

« J'ai acheté un réfrigérateur, un aspirateur, des étagères, un four à micro-ondes, un lave-vaisselle, une cafetière électrique et un congélateur. »

Ex. : (Grâce au) / Grâce à réfrigérateur, je ne jette pas de nourriture.

1. Grâce à l' / Grâce aux aspirateur, l'appartement est propre en cinq minutes.

2. Je peux ranger mes livres et mes photos grâce à l' / grâce aux étagères.

3. Mes repas sont prêts en quelques secondes grâce au / grâce aux four à micro-ondes.

4. Grâce à la / Grâce au lave-vaisselle, je consomme moins d'eau.

5. Grâce aux / Grâce à la cafetière électrique, je fais du très bon café.

6. Grâce à / Grâce au congélateur, je peux conserver des aliments.

7. Bref, grâce à / grâce aux ces appareils, ma vie est plus simple !

8 🎧 28 **Écoutez et indiquez si vous entendez une cause négative ou positive.**

Ex. : « Je n'ai pas vu le feu rouge à cause du camion arrêté devant. »

	Ex.	1	2	3	4	5	6	7	8	9	10
Cause négative	✔										
Cause positive											

9 **Complétez avec à cause de ou grâce à. Puis remplacez les mots soulignés par un pronom tonique.**

Ex. : Il est parti en vacances grâce à ses parents.
→ Il est parti en vacances grâce à eux.

1. Tu as trouvé un logement .... ta sœur.
→ Tu as trouvé un logement ....

2. Ils n'ont pas pu partir à l'étranger .... leurs enfants.
→ Ils n'ont pas pu partir à l'étranger ....

3. Nous allons souvent dans cette région .... nos amis.
→ Nous allons souvent dans cette région ....

4. Vous êtes déçus .... votre guide.
→ Vous êtes déçus ....

5. Il a dû rentrer plus tôt .... son fils.
→ Il a dû rentrer plus tôt ....

6. Elle passe des moments merveilleux .... sa famille.
→ Elle passe des moments merveilleux ....

B La conséquence

Alors, donc, c'est pourquoi, c'est pour ça que

Alors, donc, c'est pourquoi, c'est pour ça que relient deux phrases.	Il pleuvait, **alors** vous êtes restés à l'hôtel. Cet endroit est beau, **c'est pourquoi** on voudrait revenir. Je connais le pays, **donc** je me sens bien ici. Tu es fatigué, **c'est pour ça que** tu dors beaucoup.

(!) La conséquence est exprimée dans la seconde phrase.
Ex. : *Tu dormais, **alors tu as raté l'arrêt**.*

10 **Associez.**

1. On est très curieux,
2. Je n'ai pas de permis de conduire,
3. Vous ne parlez pas anglais,
4. Vous faites souvent des randonnées,
5. J'adore manger,
6. On n'a pas un gros budget,
7. Vous n'êtes pas timide,

- **a.** c'est pourquoi vous avez un bon équipement.
- **b.** c'est pourquoi on connaît beaucoup de choses.
- **c.** alors la cuisine locale me plaît.
- **d.** donc on fait du camping.
- **e.** alors vous rencontrez beaucoup de gens.
- **f.** je voyage donc en bus.
- **g.** alors vous ne voyagez pas souvent dans les pays anglophones.

11 **Mettez dans l'ordre.**

Ex. : ai raté / suis / mon train, / en retard / J' / je / alors
J'ai raté mon train, alors je suis en retard.

1. a sonné / chez moi / a oublié / ses clés, / c'est pourquoi / Elle / elle

2. Ils / donc / les ai réveillés / dormaient / je

3. vous / avez / c'est pourquoi / Vous / vous êtes levés / très mal dormi, / à midi

4. On / de l'eau polluée, / a été malades / alors / a bu / on

5. les panneaux / Nous / donc / nous sommes perdus / n'avons pas lu / nous

6. tu / donc / Tu / avec ta carte de crédit / n'avais pas d'espèces / as payé

Tellement

Pour exprimer l'intensité	**tellement** + **adjectif/adverbe** + **que**	Je suis **tellement fatigué que** je vais me coucher.
Pour exprimer la quantité ou l'intensité	**tellement de/d'** + **nom** + **que/qu'**	Il y a **tellement de neige qu'**on ne peut pas sortir.
	verbe + **tellement que**	Il **marche tellement qu'**il a mal aux pieds.

Avec un temps composé, *tellement* est généralement placé devant le participe passé.
Ex. : *Vous avez **tellement** travaillé **que** vous avez des problèmes de santé.*

12 **Transformez avec *tellement ... que/qu'*.**

Ex. : Il est très timide. Il rougit souvent.
→ Il est tellement timide qu'il rougit souvent.

1. C'est très drôle. Elle rit beaucoup.

→ ....

2. Vous parlez très vite. On ne vous comprend pas.

→ ....

3. Nous sommes très stressés. Nous tremblons.

→ ....

4. Ils sont très énervés. Ils n'écoutent personne.

→ ....

5. Tu conduis très mal. Tu deviens dangereux.

→ ....

6. Il crie très fort. Il dérange ses voisins.

→ ....

13 **Complétez le texte publicitaire avec *tellement de/d'* et un mot de la liste.**

activités • plages • aventures • plats différents • ~~gens sympathiques~~ • sites historiques

Ex. : Vous rencontrerez tellement de gens sympathiques que vous aurez beaucoup d'amis.

1. Il y a .... vous vous baignerez facilement.

2. Nous vous offrons .... vous goûterez toutes les spécialités.

3. On vous propose .... ce sera difficile de choisir.

4. Vous vivrez .... vous aurez plein de choses à raconter.

5. Vous visiterez .... vous apprendrez l'histoire du pays.

14 **Complétez avec *tellement* ou *tellement de/d'*.**

Ex. : Il a tellement de livres qu'il doit acheter de nouvelles étagères. .

1. Vous regardez .... la télévision que vous ne vous rappelez pas tout.

2. On s'amuse .... qu'on ne veut pas rentrer à la maison.

3. Nous nous ennuyons .... que nous nous endormons.

4. Ils reçoivent .... méls qu'ils ne veulent pas répondre.

5. Elles dorment .... l'après midi qu'elles se couchent très tard le soir.

6. Vous faites .... erreurs qu'on ne vous croit plus.

7. Gaspard et Louise se téléphonent .... qu'ils n'ont plus besoin de se voir.

8. Ils ont .... problèmes qu'ils ne savent plus comment faire.

9. Laura fait .... sport qu'elle va faire un marathon.

15 **Transformez avec *tellement que/qu'*.**

Ex. : Vous mangez trop. Vous allez grossir.
→ Vous mangez tellement que vous allez grossir.

1. Je travaille trop. Je vais avoir des problèmes de santé.

→ ....

2. Vous parlez trop. On ne vous écoute plus.

→ ....

3. Nous dormons trop. Le temps nous manque.

→ ....

4. Il se moque trop. Il énerve ses amis.

→ ....

5. Elles mentent trop. Personne ne les croit.

→ ....

6. Tu te plains trop. Les gens perdent patience.

→ ....

7. Nina dépense trop. Elle n'a plus d'argent.

→ ....

8. Samir marche trop. Il doit acheter de nouvelles chaussures.

→ ....

9. Tu joues trop. Tu n'as plus le temps de travailler.

→ ....

1 (29) **Écoutez et indiquez si la phrase exprime une cause ou une conséquence.**
Écrivez le mot ou l'expression qui permet de répondre.

	Cause	Conséquence	Mot ou expression		Cause	Conséquence	Mot ou expression
1.	☐	☐	....	6.	☐	☐	....
2.	☐	☐	....	7.	☐	☐	....
3.	☐	☐	....	8.	☐	☐	....
4.	☐	☐	....	9.	☐	☐	....
5.	☐	☐	....	10.	☐	☐	....

2 **Maud raconte son embarquement à l'aéroport. Faites des phrases avec le mot proposé.**

1. Ma valise était trop lourde. J'ai payé un supplément. *(comme)*

....

2. Il y avait du monde. Je n'ai pas retrouvé mes amis. *(tellement de)*

....

3. Je n'ai pas eu de billet. Le vol était complet. *(parce que)*

....

4. Le temps était mauvais. On est partis avec quatre heures de retard. *(tellement)*

....

5. L'avion n'était pas plein. Vous avez pu changer de place. *(comme)*

....

6. Les employés étaient en grève. J'ai annulé mon voyage. *(c'est pourquoi)*

....

3 **Complétez le dialogue avec une expression de cause ou de conséquence.**

– Quoi ? Tu as encore une nouvelle robe ?

– .... il y avait des soldes, je n'ai pas pu résister. Et puis, ...

mes heures supplémentaires du mois dernier, j'ai pu me faire un cadeau !

– Mais pourquoi une robe marron ?

– .... j'aime cette couleur et .... c'est à la mode.

Mais si tu ne veux pas sortir avec moi .... ma robe, je reste à la maison !

– Écoute, tu as .... vêtements que tu n'auras pas de mal à choisir !

Mais dépêche-toi .... Pierre nous attend !

4 **Complétez cet article sur Brigitte Bardot avec les mots de la liste.**

comme • grâce à (× 2) • tellement (× 2) • alors

Les stars du cinéma

BRIGITTE BARDOT

Elle est née à Paris en 1934. Elle s'intéresse à la danse et .... elle a du talent, elle entre au conservatoire. Son père adore le cinéma et .... lui, elle tourne dans des petits films. Un jour, à 15 ans, elle pose pour des photos, ... elle commence à être connue. On lui propose un premier film en 1952 et elle est ....curieuse qu'elle accepte. Après, elle fait d'autres films comme *Et Dieu créa la femme*, *Le Mépris*. Elle gagne .... d'argent qu'elle achète une maison sur la Côte d'Azur. En plus du cinéma, elle défend les animaux, les phoques par exemple. .... elle, des lois sont changées pour protéger les races animales.

5 **Hugues et Martin discutent avant d'aller voir un match. Soulignez la forme correcte.**

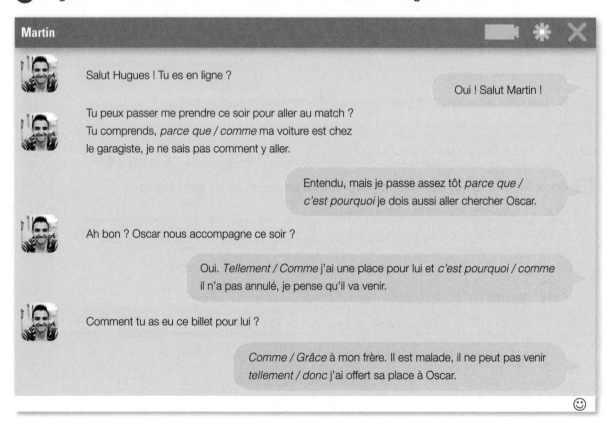

Martin

Salut Hugues ! Tu es en ligne ?

> Oui ! Salut Martin !

Tu peux passer me prendre ce soir pour aller au match ? Tu comprends, *parce que / comme* ma voiture est chez le garagiste, je ne sais pas comment y aller.

> Entendu, mais je passe assez tôt *parce que / c'est pourquoi* je dois aussi aller chercher Oscar.

Ah bon ? Oscar nous accompagne ce soir ?

> Oui. *Tellement / Comme* j'ai une place pour lui et *c'est pourquoi / comme* il n'a pas annulé, je pense qu'il va venir.

Comment tu as eu ce billet pour lui ?

> *Comme / Grâce* à mon frère. Il est malade, il ne peut pas venir *tellement / donc* j'ai offert sa place à Oscar.

☺

CHAPITRE

1 Le présent de l'indicatif

A Les verbes en -ER

1 **1.** Nous écoutons **2.** Tu regardes **3.** Il chante **4.** Elles jouent **5.** Je joue **6.** Vous collectionnez **7.** Ils dessinent

2 **1.** elle travaille **2.** nous réparons **3.** elles gardent **4.** je renseigne **5.** vous cherchez **6.** tu enseignes **7.** elle accompagne

3 **1.** ils n'étudient pas **2.** ils oublient **3.** ils jouent **4.** Ils m'appellent **5.** ils me tutoient **6.** ils crient **7.** ils jettent **8.** Ils me respectent **9.** ils m'aident **10.** ils nettoient **11.** ils me remercient **12.** nous communiquons **13.** je les emmène **14.** J'espère

4 **1.** Vous appréciez **2.** Je travaille **3.** Nous remplaçons **4.** nous créons **5.** nous essayons **6.** Vous pensez **7.** j'espère **8.** je préfère **9.** nous continuons

5 Élodie et moi, **nous passons** beaucoup de temps ensemble, **nous partageons** presque tout et **nous aimons** les mêmes choses. Une fois par mois, **nous déjeunons** ou **nous dînons** toutes les deux. **Nous changeons** chaque fois de restaurant mais **nous allons** toujours dans des endroits typiques. **Nous adorons** aussi sortir le week-end et **nous préférons** les musées et les expos. **Nous jouons** aussi au basket ensemble.

B Les verbes en -IR

6 **1.** Elle sent – Elles sentent **2.** Tu réussis – Vous réussissez **3.** Il part – Ils partent **4.** Je dors – Nous dormons **5.** Il réfléchit – Ils réfléchissent **6.** Je réagis – Nous réagissons **7.** Elle sort – Elles sortent **8.** Je finis – Nous finissons **9.** On court – Nous courons

7 🎧 02 **Ex. :** Sentir – je sens

1. Dormir – nous dormons

2. Grandir – ils grandissent

3. Remplir – vous remplissez

4. Sortir – ils sortent

5. Réfléchir – tu réfléchis

6. Courir – nous courons

7. Servir – tu sers

8. Finir – je finis

9. Réagir – nous réagissons

10. Mentir – vous mentez

Comme *choisir* : 2, 3, 5, 8, 9
Comme *venir* : 1, 4, 6, 7, 10

8 **1.** Vous choisissez **2.** Vous réfléchissez **3.** tu éclaircis **4.** Nous agrandissons **5.** On finit **6.** Les autres ne réussissent pas

9 **1.** ils grandissent – grand **2.** Vos cheveux blondissent – blond **3.** je grossis – gros **4.** il rougit – rouge **5.** Nous vieillissons – vieux

10 **1.** *nous dormons* – tu ne dors pas **2.** Je sors – ils sortent **3.** Vous mentez – je ne mens jamais **4.** Elles courent – il court **5.** Vous partez – on part **6.** Cette fleur sent – les autres ne sentent pas **7.** Ces trois machines servent – la troisième sert

11 **1.** elles reviennent **2.** on te prévient **3.** je ne viens pas **4.** elles se souviennent **5.** je me souviens **6.** vous me prévenez

12 **1.** À qui appartient ce livre ? **2.** Tu appartiens à un parti politique ? **3.** Ces idées appartiennent à tout le monde ! **4.** À quel groupe est-ce que vous appartenez ? **5.** Ces documents appartiennent à mon collègue. **6.** Nous appartenons à cette équipe.

13 **a.** **1.** *vous ouvrez* **2.** J'ouvre **b.** **3.** Vous offrez **4.** Tu ne m'offres rien ? **c.** **5.** on découvre **6.** Je découvre **d.** **7.** Ces vendeurs accueillent **8.** Cette hôtesse accueille

C Les verbes en -RE et -OIR

14 **1.** *c,* h **2.** f, g **3.** a, i **4.** d, e **5.** b, j

15 🎧 03 **Ex. :** Ils doivent

1. Elles font	**6.** Elle doit
2. Il met	**7.** Ils peuvent
3. Elles reçoivent	**8.** Elle sait
4. Ils mettent	**9.** Il fait
5. Elle veut	**10.** Ils veulent

Singulier : 2, 5, 6, 8, 9
Pluriel : 1, 3, 4, 7, 10

16 **1.** sais **2.** croient **3.** voyez **4.** peuvent **5.** doit **6.** fait **7.** recevons **8.** veulent **9.** met **10.** buvons

17 **1.** Je ne dis rien **2.** On ne dit rien – vous nous contredisez **3.** Mon professeur me prédit **4.** Vous ne dites jamais **5.** Elles interdisent **6.** Nous disons – Nous ne contredisons personne **7.** Vous interdisez

18 **1.** Elle sourit – Elles sourient **2.** Tu conduis – Vous conduisez **3.** Il prescrit – Ils prescrivent **4.** Je construis – Nous construisons **5.** Il décrit – Ils décrivent **6.** Tu vis – Vous vivez **7.** Je suis – Nous suivons **8.** Elle traduit – Elles traduisent

19 **1.** je ne comprends rien **2.** Vous prenez **3.** Vous comprenez **4.** J'apprends **5.** Vous apprenez **6.** Ils prennent **7.** Tu prends

20 **a.** **1.** nous n'attendons personne **2.** elle attend **b.** **3.** vous descendez **4.** On descend **5.** je descends **c.** **6.** ils ne répondent pas **7.** ils n'entendent rien **d.** **8.** Tu entends **9.** je n'entends rien **e.** **10.** vous me rendez **11.** je confonds

21 1. je peins 2. Vous nous rejoignez 3. on vous rejoint 4. Tu n'éteins pas 5. je l'éteins 6. vous ne craignez rien 7. je ne crains rien 8. Ils se plaignent 9. vous ne vous plaignez jamais

D Les verbes pronominaux

22 1. Nous nous promenons souvent. 2. Ils ne se dépêchent pas. 3. On s'arrête de travailler. 4. Je me lève à 11 heures. 5. Vous ne vous couchez pas maintenant ? 6. Nous nous amusons beaucoup. 7. Elles se connaissent bien. 8. Je ne me lève jamais à 6 heures.

23 1. Tu t'en vas 2. On s'en va 3. Vous vous en allez 4. Je ne m'en vais pas 5. Ma fille s'en va 6. on s'en va 7. David ne s'en va pas 8. Nos frères s'en vont

24 1. ils s'aiment 2. on se parle 3. On se retrouve 4. elles se racontent 5. Les enfants se disputent 6. nous nous voyons 7. Ils se connaissent 8. Mes petits neveux s'amusent

25 1. *b. C.* 2. a. B. Vous pouvez vous baigner à la plage. 3. c. A. Je peux me promener au parc. 4. f. E. Tu peux t'amuser au cirque. 5. e. F. Ils doivent s'inscrire à l'université. 6. d. D. Nous voulons nous reposer à la maison.

BILAN

❶ 1. il refuse 2. tu éteins 3. je ris 4. je me lève 5. je dépense 6. je t'interdis 7. je m'ennuie

❷ 1. Un acteur. Il répète son rôle et il salue le public. 2. Les professeurs. Ils enseignent et ils expliquent aux élèves. 3. Un coiffeur. Il lave les cheveux et il coupe les cheveux. 4. Un médecin. Il donne des médicaments et il soigne les malades. 5. Les journalistes. Ils font des enquêtes et ils écrivent des articles.

❸ 1. nous cherchons 2. Vous savez 3. elle est 4. vous tournez 5. vous avancez 6. vous prenez 7. vous suivez 8. Vous traversez 9. nous prenons 10. nous longeons 11. Vous continuez 12. vous faites

❹ 1. Le samedi, la banque **ouvre** à 10 heures. 2. Les caisses **se trouvent** au fond du magasin. 3. Les chiens ne **peuvent** pas entrer dans la boulangerie. 4. Nous n'**acceptons** pas les chèques. 5. L'agence **ferme** à 16 heures. 6. Ici, on ne **vend** pas de timbres. Vous **pouvez** vous adresser à la poste, à droite au prochain carrefour.

❺ Chers tous, Nous **sommes** pour quelques jours dans le parc Kruger. Ce pays **est** magnifique et passionnant. Ici, il **fait** très chaud. Nous **logeons** chez Jonathan : il a une maison à l'intérieur du parc. Quand nous **préparons** les repas dans la cuisine ou quand nous **nous reposons** dans le salon, nous **pouvons** voir des animaux par la fenêtre :

des éléphants, des girafes... Le matin, nous **nous levons** très tôt. Nous **partons** en voiture avec un guide et nous **visitons** le parc. Nous **passons** des vacances merveilleuses. Bises, Loïc et Carine

CHAPITRE
2 Les temps du passé

A Le passé composé

1 🎧 04 **Ex. :** J'ai fini mon travail.
1. Nous avons attendu longtemps.
2. Il écrit des poèmes.
3. J'ai fait la cuisine.
4. Tu connais ce quartier.
5. Je traduis un rapport.
6. J'ai reçu une lettre de mes amis.
7. Il a vu un film.
8. Elle lit un roman.
9. Il a plu toute la journée.
10. J'ai dîné dans un bon restaurant.

Présent : 2, 4, 5, 8
Passé composé : 1, 3, 6, 7, 9, 10

2 1. mangé 2. connu 3. dormi 4. travaillé 5. dit 6. entendu 7. fini 8. lu 9. étudié 10. mis 11. parti 12. pu 13. tenu 14. voulu

3 1. b 2. g 3. c 4. f 5. d 6. e 7. a 8. h 9. k 10. n 11. p 12. i 13. j 14. o 15. l 16. m

4 1. éteindre (éteint) 2. asseoir (assis) 3. mettre (mis) 4. naître (né) 5. lire (lu) 6. offrir (offert) 7. faire (fait) 8. rire (ri) 9. sortir (sorti) 10. boire (bu)

5 1. Nous n'avons rien dit à notre famille. 2. On n'a pas prévenu nos amis. 3. Personne n'a imaginé notre secret. 4. Nos parents ne se sont pas occupés de l'événement. 5. Nous n'avons invité personne à la mairie. 6. Je n'ai pas mis de robe blanche ce jour-là. 7. Nous n'avons pas regretté nos décisions.

6 1. être Ils sont allés 2. avoir Pauline a visité 3. être Mes amis sont partis 4. avoir Nous avons marché 5. être Elles se sont amusées 6. avoir Tu as préparé 7. être John et Maria sont arrivés 8. avoir Vous avez quitté 9. avoir Léo a rencontré 10. être Mes parents sont revenus 11. être nous sommes restés

7 1. vous vous êtes retrouvés 2. Les frères d'Aurélie sont venus 3. Nous nous sommes tous installés 4. La soirée s'est bien passée 5. Les amies d'Aurélie se sont beaucoup amusées 6. Elle est partie 7. On s'est endormi/endormis/endormies 8. Nous nous sommes réveillés/réveillées cet après-midi !

8 1. Je n'ai pas beaucoup voyagé. **2.** Ma femme et moi n'avons pas souvent déménagé. **3.** Je n'ai pas gagné au loto. **4.** Ma fille et mon fils ne se sont pas mariés. **5.** Mes amis ne m'ont pas beaucoup aidé. **6.** Avec ma famille, on n'a pas toujours été heureux.

9 1. Nous **sommes** montés en ascenseur. **2.** Je **suis** descendu au parking. **3.** On a monté <u>les bagages</u>. **4.** J'ai descendu <u>les 11 étages</u> à pied ! **5.** Il **est** passé dire bonjour. **6.** Elles **ont** rentré <u>les valises</u>. **7.** Vous **avez** passé <u>un bon week-end</u> ? **8.** Vous **êtes** rentré à quelle heure ? **9.** Nous sommes sortis tard hier soir. **10.** Ils ont sorti <u>les lunettes de soleil</u>. **11.** Vous avez rentré <u>la voiture</u> dans le garage ? **12.** On a passé <u>un moment agréable</u>.

10 a. 1. Elle a regardé **2.** Il s'est couché, il a lu et il s'est endormi **3.** Emma a rencontré **4.** Vous avez fait **5.** Sophie est partie **6.** Tu as lu **7.** nous avons attendu – nous avons acheté – nous sommes entrés **8.** J'ai été malade **9.** Il nous a demandé
b. Un fait ponctuel : **exemple**, 3, 5, 7
Un fait avec une durée limitée : 4, 8
Une succession de faits : 2, 7
Un fait répété : 1, 6, 9

11 1. Ils ont coupé **2.** Vous avez éteint **3.** Elles ont fermé **4.** J'ai mis **5.** Elle a laissé **6.** Nous avons prévenu

12 1. Les hommes sont partis **2.** Lucie est venue **3.** son mari est resté **4.** elles sont arrivées **5.** Mes amis se sont amusés **6.** Ils sont rentrés **7.** Nous nous sommes retrouvés

13 1. ont manifesté **2.** a perdu **3.** a tremblé **4.** a gagné **5.** a reçu **6.** a explosé **7.** a interdit **8.** a commencé **9.** a offert

14 1. Les enfants se sont amusés **2.** Cédric a rencontré **3.** vous avez pu **4.** nous nous sommes promenés **5.** Nous nous sommes baignés **6.** qui est restée **7.** vous êtes revenus **8.** Nous sommes rentrés **9.** nous avons retrouvé

15 1. Elle s'est levée **2.** Elle a pris **3.** Elle est arrivée **4.** Elle est allée **5.** Elle a rencontré **6.** elle a déjeuné **7.** elle a pu **8.** elle a discuté **9.** elle a participé **10.** elle est rentrée

B L'imparfait

16 1. nous attendons – elles attendaient **2.** nous comprenons – on comprenait **3.** nous connaissons – vous connaissiez **4.** nous croyons – elles croyaient **5.** nous écrivons – nous écrivions **6.** nous envoyons – j'envoyais **7.** nous éteignons – vous éteigniez **8.** nous faisons – vous faisiez **9.** nous lisons – il lisait **10.** nous pouvons – on pouvait **11.** nous prenons – je prenais **12.** nous savons – nous savions

17 1. Elle commençait **2.** On se déplaçait **3.** Il fallait **4.** Vous riiez **5.** Je voyageais **6.** Nous étudiions **7.** Il pleuvait **8.** On s'ennuyait

18 🎧 **05 Ex. :** Elle mangeait
1. Nous partions
2. Ils ne dorment pas
3. Je voyageais
4. Vous jouiez
5. Elles lisent
6. Tu n'aimais pas ça
7. Ils comprennent
8. Vous ne saviez pas
9. Je commençais
10. Ils ouvrent

19 1. je ne buvais pas **2.** on dormait **3.** je ne m'intéressais pas **4.** tu ne partais pas **5.** vous sortiez **6.** elles n'avaient pas

20 1. Mon père était **2.** Ma mère, elle, ne travaillait pas **3.** nous ne déjeunions pas **4.** nous rentrions **5.** la famille mangeait **6.** nous discutions **7.** ça ne se passait pas **8.** je n'avais pas **9.** mon père et ma mère parlaient **10.** on allait **11.** nous nous occupions

21 1. ne coûtait pas **2.** n'existait pas **3.** faisait **4.** ne votaient pas **5.** mettait **6.** se déplaçaient **7.** payaient **8.** allaient

22 1. Nous nous promenions **2. et 3.** les gens riaient ou discutaient **4.** nous marchions **5.** nous regardions **6.** Emma voulait **7.** je préparais **8.** Nous parlions **9.** Nous faisions

C Passé composé et imparfait dans un même récit

23 1. Il traversait – une voiture est arrivée **2.** Elle se promenait – Il a commencé **3.** J'avançais – j'ai entendu **4.** Elle était assise – elle regardait – elle a entendu **5.** Je faisais – il y a eu **6.** Vous vous reposiez – un ami est arrivé. **7.** On travaillait – il y a eu

24 1. Il a quitté la réunion parce qu'il avait rendez-vous avec un client. **2.** On a changé de rue parce que la circulation était difficile. **3.** La police a fermé la route parce que la rivière continuait à monter. **4.** On a laissé la radio allumée parce qu'on attendait les résultats. **5.** Nous n'avons pas pu entrer parce que les ouvriers travaillaient. **6.** J'ai dû monter à pied parce que l'ascenseur était en panne.

D Le passé récent

25 1. d **2.** a **3.** e **4.** b **5.** f **6.** c

26 1. Lucie vient de trouver un travail. **2.** Nous venons d'engager une jeune fille au pair. **3.** Nos amis viennent de se séparer. **4.** Mon père vient de prendre sa retraite. **5.** Je viens de m'inscrire à une formation en psychologie. **6.** On vient de changer de voiture.

27 1. Je viens de sortir. **2.** Nous venons de prendre notre douche. **3.** Elles viennent d'éteindre la télévision. **4.** On vient de préparer le dîner. **5.** Ils viennent de ranger leurs livres. **6.** Vous venez de vous habiller.

BILAN

❶ 🔊 06 **1.** J'ai été malade.
2. On adorait ça.
3. Je ne parlais pas.
4. Elle s'est couchée tôt.
5. Il s'est trompé.
6. Elles écoutaient.
7. J'ai voyagé.
8. Ils habitaient là.
9. On a regardé.
10. J'ai téléphoné.

Passé composé : **1, 4, 5, 7, 9, 10**
Imparfait : **2, 3, 6, 8**

❷ a. 1. Avant, j'**étais** très timide. – b. Aujourd'hui, je n'ai plus peur de parler en public. **2.** Avant, vous **faisiez** beaucoup de sport. – a. Maintenant, vous marchez difficilement. **3.** Avant, elle **s'endormait** difficilement. – f. Maintenant, elle dort huit heures par nuit. **4.** Avant, il **pesait** 96 kilos. – e. Aujourd'hui, il pèse 65 kilos. **5.** Avant, je **me sentais** seul. – c. Maintenant, j'ai beaucoup d'amis. **6.** Avant, il **partageait** un appartement. – d. Maintenant, il habite seul.
b. 1. J'**ai suivi** un stage et j'**ai appris** à être sûr de moi. **2.** Vous **avez eu** un accident. **3.** Elle a **arrêté** de boire du café. **4.** Il a fait un régime strict : il a **supprimé** le sucre. **5.** Je **me suis inscrit** dans un club de randonnée. **6.** Son colocataire a **déménagé**.

❸ 1. nous sommes arrivées **2.** il y avait **3.** Nous avons demandé **4.** Il n'a pas pu **5.** Nous avons posé **6.** nous avons attendu **7.** nous avons entendu **8.** n'avons pas eu

❹ Un accident a **eu lieu** avenue Voltaire ce matin. Un camion **était** arrêté devant le feu rouge et **empêchait** les automobilistes de bien voir. Une voiture qui **circulait** trop vite a **vu** le camion au dernier moment et **n'a pas pu** s'arrêter. Malheureusement, un piéton **traversait** la rue quand la voiture **est arrivée**. Le conducteur a freiné mais il **a heurté** le piéton qui **est tombé** devant la boulangerie. Le boulanger a **appelé** immédiatement les pompiers qui **sont venus** cinq minutes après. Ils **ont transporté** le piéton à l'hôpital. Le conducteur a **attendu** la police.

❺ Édith Piaf **est née** en 1915 à Paris et **est morte** en Provence en 1963. Elle **venait** d'une famille pauvre. Elle **a vécu** chez ses grands-parents pendant plusieurs années. Elle **a commencé** à chanter dans les rues de Paris dans les années 1920. Elle **avait** une voix unique. Elle **donnait** des concerts dans des cabarets, le public l'**adorait**. En 1945, elle a **écrit** *La Vie en rose* et d'autres grands succès. Sa méthode : elle **utilisait** les histoires de sa vie et les **transformait** en chansons. Elle **a chanté** pendant 30 ans, partout dans le monde. Elle **a donné** son dernier concert à Paris en 1962.

CHAPITRE

3 Le futur proche et le futur simple

A Le futur proche

1 🔊 07 **Ex. :** On va à l'hôtel.
1. On va partir demain.
2. Je vais au cinéma.
3. Tu vas où ?
4. Nous allons prendre le train à 8 heures.
5. Ils vont à la gare.
6. Je vais aller à l'opéra ce soir.
7. Tu vas venir avec moi ?
8. Vous allez en vacances ?
9. Nous allons nous promener au parc.
10. Elle va au stade.

Verbe *aller* : **2, 3, 5, 8, 10**
Futur proche : **1, 4, 6, 7, 9**

2 1. d **2.** a **3.** e **4.** c **5.** b **6.** f **7.** g

3 1. On va lire **2.** Nous allons ouvrir **3.** Je ne vais pas répéter **4.** Tu vas étudier **5.** Je ne vais pas dicter **6.** Ils vont faire

4 1. On va se renseigner sur les programmes. **2.** Nous allons nous installer dans un petit appartement. **3.** Elle va s'organiser pour les transports. **4.** Vous allez vous occuper de l'emploi du temps. **5.** Je vais me présenter à un entretien. **6.** Elles vont s'informer sur les stages.

5 1. on va réparer **2.** tu vas te blesser **3.** tu vas glisser **4.** tu ne vas pas avoir **5.** on va avoir **6.** nous allons rater **7.** Il va y avoir **8.** tout va s'arranger

6 1. Je vais faire **2.** je vais m'inscrire **3.** on va étudier **4.** je vais améliorer **5.** Diane va apprendre **6.** je ne vais pas continuer **7.** je vais aider **8.** Je vais traverser **9.** on va s'arrêter

B Le futur simple

7 1. Il/Elle/On **2.** Vous **3.** Tu **4.** Il/Elle/On **5.** Ils/Elles **6.** Nous **7.** Ils/Elles **8.** Il/Elle/On **9.** Vous **10.** Je **11.** Nous **12.** Tu

8 1. Je décorerai **2.** On vivra **3.** Tu compareras **4.** Nous croirons **5.** Ils suivront **6.** Vous respirerez **7.** Nous rirons **8.** Elle perdra

9 1. Vous achèterez **2.** Tu paieras/payeras **3.** Elle jettera **4.** On s'ennuiera **5.** Nous nous lèverons **6.** On essaiera/essayera

10 1. Vous amènerez **2.** Je compléterai **3.** Elle emmènera **4.** Il épèlera **5.** Nous pèserons **6.** Vous rejetterez **7.** Nous nous promènerons

11 1. *b* Vous **2.** c Il **3.** i On **4.** j Tu **5.** f Vous **6.** a Ils **7.** g Elles **8.** h Nous **9.** e Elle **10.** d Je

12 (08) **Ex. :** Elle devra

1. Nous saurons	**7.** Elles seront
2. Ils voudront	**8.** Il faudra
3. Vous viendrez	**9.** Nous irons
4. Il pleuvra	**10.** On pourra
5. Je verrai	**11.** Tu auras
6. Vous ferez	**12.** Elles courront

Infinitifs : 1. Savoir **2.** Vouloir **3.** Venir **4.** Pleuvoir **5.** Voir **6.** Faire **7.** Être **8.** Falloir **9.** Aller **10.** Pouvoir **11.** Avoir **12.** Courir

13 1. Il ira **2.** On ne pourra pas **3.** J'aurai **4.** Tu feras **5.** On sera **6.** Elles viendront **7.** Vous ne verrez pas **8.** Il faudra

14 1. *d.* **2.** g **3.** a **4.** f **5.** j **6.** h **7.** c **8.** e **9.** b **10.** i

15 1. Il suivra **2.** On ne réagira plus **3.** Elle essaiera/essayera **4.** Nous prendrons **5.** Elles n'oublieront pas **6.** Vous serez **7.** Tu ne mentiras plus **8.** J'arrêterai **9.** Ils feront

16 1. Il faudra préparer la réunion. **2.** Tu ne seras pas en congés. **3.** Vous aurez une semaine difficile. **4.** Il y aura des changements de poste. **5.** On ne pourra pas prendre de vacances. **6.** Nous ferons le déménagement des bureaux. **7.** Elles viendront dans les nouveaux locaux. **8.** J'enverrai une invitation pour l'inauguration. **9.** On recevra de nouvelles candidatures.

17 1. elle chantera **2.** dansera **3.** Elle grandira **4.** Un prince l'épousera **5.** ils vivront **6.** elle mourra **7.** Elle restera **8.** elle se piquera **9.** s'endormira **10.** un prince qui la réveillera **11.** elle l'aimera

18 1. Il y aura **2.** On devra **3.** Nous serons plus **4.** Ils nous alerteront **5.** Elle fera **6.** Il faudra **7.** Ils voudront

C L'hypothèse dans le futur

19 1. Si je fais – je te préparerai **2.** Si je la prépare – tu me féliciteras **3.** Si tu me félicites – je serai **4.** Si je suis – je sourirai **5.** Si nous sourions – la vie sera **6.** Si la vie est – tout semblera **7.** Si tu fais – nous serons **8.** Si nous restons – nous aurons

20 1. vous verrez **2.** Vous pourrez – si vous aimez **3.** Si vous voulez – ce sera – vous paierez/payerez **4.** Si vous vous promenez – vous trouverez **5.** Vous vous sentirez – si vous n'avez pas l'habitude **6.** Si

vous aimez – vous regretterez **7.** si vous souhaitez – je pourrai **8.** Vous découvrirez – si vous acceptez

BILAN

❶ 1. tu vas tomber **2.** Michel va arriver **3.** je serai – je travaillerai **4.** vous allez vous faire mal **5.** je vais t'aider **6.** il va falloir. **7.** ils auront – ils chercheront **8.** nous allons manquer

❷ 1. nous volerons **2.** nous irons **3.** si les conditions météo continuent **4.** le vol durera **5.** nous atterrirons **6.** les hôtesses feront **7.** elles serviront **8.** Si vous avez **9.** si vous désirez **10.** elles essaieront/essayeront

❸ 1. Je vais prononcer mieux. **2.** Vous reviendrez certainement. **3.** On va avoir un diplôme. **4.** Tu vas pouvoir traduire pour les autres. **5.** Je découvrirai une autre culture. **6.** Nous n'allons pas nous souvenir de tout ! **7.** Elle s'exprimera facilement. **8.** Vous allez vous rappeler ce séjour !

❹ Nous **prendrons** le petit-déjeuner à 9 heures du matin. Nous **nous réunirons** ensuite dans la grande salle et nous **ne partirons pas** avant 10 heures, nous **devrons** attendre le car. Le car nous **conduira** à Caen où nous **arriverons** en fin de matinée. La visite du musée **durera** environ trois quarts d'heure. Nous **déjeunerons** à la cafétéria du musée. L'après-midi, vous **serez** libres pour découvrir la ville. Il **faudra** peut-être prévoir des parapluies. Le soir, nous **nous retrouverons** à l'hôtel vers 18 heures. Là, on vous **offrira** un cocktail.

❺ Dans le Sud-Ouest, le temps **sera** nuageux. Il **pleuvra** un peu en montagne. Les nuages et la pluie **se déplaceront** vers la Côte d'Azur qu'ils **atteindront** dans la soirée. Dans toutes les autres régions, la matinée **sera** grise et humide et il y **aura** du brouillard. Il **tombera** une petite pluie au nord de la Loire. Le soleil **commencera** à apparaître près de la Manche. On **trouvera** les températures les plus basses à Paris avec 9 °C et à Grenoble avec 10 °C et il **fera** 18 °C à Nice.

CHAPITRE

4 L'interrogation

A Les questions avec *est-ce que* … ?

1 1. *h* **2.** g **3.** f **4.** e **5.** a **6.** b **7.** d **8.** c

2 1. Où est-ce que vous dînez ? **2.** À quelle heure est-ce que vous rentrez ? **3.** Est-ce que vous avez des amis ? **4.** Avec qui est-ce que vous travaillez ? **5.** Quand est-ce que vous allez au cinéma ? **6.** Pourquoi est-ce que vous habitez seul ? **7.** Comment est-ce que vous avez trouvé cet appartement ?

3 **1.** Combien de frères est-ce qu'elle a ? **2.** D'où est-ce qu'elle vient ? **3.** Qu'est-ce qu'elle étudie ? **4.** Quand est-ce qu'elle arrive ? **5.** Pourquoi est-ce qu'elle vient ? **6.** Chez qui est-ce qu'elle habite ?

4 **1.** Où est-ce que tu as trouvé le modèle ? **2.** À quoi est-ce que ça sert ? **3.** Avec qui est-ce que tu l'as fabriqué ? **4.** Pour qui est-ce que tu l'as fait ? **5.** Pourquoi est-ce que tu as choisi ce modèle ? **6.** Dans quoi est-ce que tu vas le mettre pour lui offrir ?

B *Qui est-ce qui… / Qui est-ce que (qu')… ?*
Qu'est-ce qui… / Qu'est-ce que (qu')… ?

5 🎧 09 **Ex. :** Qu'est-ce que vous faites ?
1. Qu'est-ce qui se passe ?
2. Qui est-ce que vous appelez ?
3. Qu'est-ce qui vous arrive ?
4. Qui est-ce qui répond ?
5. Qu'est-ce qui ne va pas ?
6. Qu'est-ce que vous écrivez ?
7. Qu'est-ce qui vous dérange ?
8. Qu'est-ce que tu dis ?
9. Qui est-ce que tu attends ?
10. Qui est-ce qui crie ?

Qui est-ce qui : **4, 10**
Qui est-ce que : **2, 9**
Qu'est-ce qui : **1, 3, 5, 7**
Qu'est-ce que : **6, 8**

6 **1.** *a*, d **2.** b, c **3.** f, g, i **4.** e, h

7 **1.** qui est-ce que tu connais ? **2.** qui est-ce qui t'a offert ces fleurs ? **3.** Qu'est-ce que tu as découvert ? **4.** Qu'est-ce qui ne va pas ? **5.** Qui est-ce que tu vas appeler ? **6.** qui est-ce qui arrive demain ? **7.** Qu'est-ce qui va se passer ?

C Demander une précision

8 **1.** Tu prends quoi comme apéritif ? **2.** Qu'est-ce que tu veux comme entrée ? **3.** Qu'est-ce que tu préfères comme boisson ? **4.** Qu'est-ce que tu veux comme légumes avec le steak ? **5.** On prend quoi comme dessert ?

9 **1.** Ils font quoi comme sport ? **2.** Qu'est-ce qu'ils aiment comme musique ? **3.** Ils apprennent quoi comme langue ? **4.** Qu'est-ce qu'ils lisent comme livres ? **5.** Ils portent quoi comme vêtements ? **6.** Qu'est-ce qu'ils conduisent comme voitures ?

10 🎧 10 **Ex. :** Quelle est la capitale du Japon ?
1. Quel fleuve traverse Paris ?
2. Quelles montagnes sont entre la France et l'Espagne ?
3. Quelle mer borde la Pologne ?
4. Quels sont les pays voisins de la Suisse ?

5. Quelles sont les îles antillaises françaises ?
6. Quelles sont les villes principales de l'Irlande ?
7. Quel océan sépare l'Europe de l'Amérique ?
8. Quels sont les grands lacs canadiens ?
9. Quel est le continent le plus peuplé ?
10. Quels sont les déserts importants ?

Quel : **1, 7, 9**   Quels : **4, 8, 10**
Quelle : **3**   Quelles : **2, 5, 6**

11 **1.** quels **2.** quelles **3.** quels **4.** quels **5.** quelles **6.** quel **7.** quelle **8.** quel

12 **1.** Laquelle **2.** lequel **3.** Lesquels **4.** Lesquelles **5.** Lesquelles **6.** Laquelle **7.** Lequel

13 **1.** Quelle **2.** Laquelle **3.** Lesquels **4.** Quel **5.** Lequel **6.** Lequel **7.** Laquelle

D Les trois types de questions

14 🎧 11 **Ex. :** Comment est-ce que vous vous appelez ?
1. Vous faites quoi dans la vie ?
2. Combien de langues parlez-vous ?
3. Pourquoi est-ce que vous étudiez le français ?
4. Allez-vous passer des examens ?
5. Où habitez-vous ?
6. Vous venez comment ici ?
7. À quelle heure est-ce que vous partez de chez vous ?
8. Cherchez-vous une formation particulière ?
9. Vous connaissez le règlement de notre institut ?
10. Quand est-ce que vous voulez vous inscrire ?

Familier : **1, 6, 9**
Courant : **3, 7, 10**
Formel : **2, 4, 5, 8**

15 **1.** Quelle heure était-il ? **2.** Où étiez-vous ? **3.** Qu'avez-vous fait ? **4.** Connaissiez-vous la victime ? **5.** Avez-vous appelé immédiatement la police ? **6.** Pouvez-vous nous suivre au commissariat ?

16 **1.** À quelle heure êtes-vous partis ce matin ? **2.** Comment es-tu allé à la gare ? **3.** Qu'avez-vous fait dans le train ? **4.** A-t-il eu un vol direct ? **5.** Combien de temps as-tu attendu le taxi ? **6.** A-t-elle mangé quelque chose dans l'avion ? **7.** Y avait-il du monde ?

BILAN

❶ **1.** Quels **2.** Lesquelles **3.** Où **4.** Combien de **5.** Qu'est-ce qui **6.** Que **7.** Est-ce que

❷ **1.** Que voulez-vous faire comme formation ? **2.** Quand voulez-vous le faire ? **3.** Quels logiciels connaissez-vous ? **4.** Où a lieu ce stage ? **5.** Combien coûte-t-il ? **6.** Comment réglez-vous ? **7.** Acceptez-vous les cartes bancaires ?

❸ 1. Voyons, où est-ce qu'il se trouve… ? **2.** Mais, que fait-il ? **3.** Pourquoi est-ce qu'il ne m'a pas encore téléphoné ? **4.** Avec qui est-ce qu'il est sorti ? **5.** Où est-ce qu'il peut être ? **6.** Laquelle/Avec qui/ Avec laquelle ? **7.** Chez qui est-ce que/Où est-ce que tu dors ?

❹ Bonjour, Je voudrais passer mes vacances d'été à Chamonix. **Quel** temps fait-il en été ? Neige-t-il en cette saison ? Peut-on faire l'ascension du Mont-Blanc ? Est-ce dangereux ? Faut-il un guide de haute montagne ? Que me conseillez-vous ? Avez-vous une liste d'hôtels et de locations ? Y a-t-il une gare ? Cordialement. Jean Leroy

❺ Géo : Sophie, **qu'est-ce qui** a motivé cette aventure ?
Sophie : Notre curiosité !
Géo : **Comment** est-ce que vous avez voyagé ?
Sophie : En camping-car.
Géo : **Est-ce que** vous avez eu des surprises sur les routes, des animaux par exemple ?
Sophie : Non, pas vraiment. Nous étions souvent dans le camping-car.
Géo : **Combien de** kilomètres est-ce que vous avez fait ?
Sophie : Je ne sais pas, à peu près 18 000.
Géo : **Quel** type d'enseignement avez-vous choisi pour vos enfants ?
Sophie : Les devoirs par Internet.
Géo : **Pourquoi est-ce que** vous avez choisi ce système ?
Sophie : Parce que c'est pratique.
Géo : **Quand** est-ce que vous êtes rentrés ?
Sophie : Au mois d'août, à la fin de vacances.
Géo : Vous avez beaucoup de souvenirs, je suppose. **Lequel** pouvez-vous raconter par exemple ?
Sophie : Un jour, nous sommes tombés en panne d'essence !
Géo : **Où** est-ce que vous étiez ?
Sophie : Dans les Andes !
Géo : **Qu'est-ce que** vous avez fait ?
Sophie : On a eu de la chance. Des gens ont emmené mon mari à la station d'essence.
Géo : Au final, c'était une belle expérience ?
Sophie : Oui, une année inoubliable !

CHAPITRE

5 La négation

A La place de la négation *ne … pas*

1 1. f **2.** d **3.** b **4.** e **5.** a **6.** g **7.** c

2 1. Non, ce n'est pas admis. **2.** Non, ce n'est pas interdit. **3.** Non, ce n'est pas autorisé. **4.** Non, ce n'est pas accepté. **5.** Non, ce n'est pas toléré. **6.** Non, ce n'est pas permis.

3 1. Elle ne voulait pas voir sa famille. **2.** Elle ne s'habituait pas à ses collègues. **3.** Ses copains ne voulaient pas l'appeler. **4.** Elle n'avait pas le moral. **5.** Elle ne s'occupait pas de ses parents. **6.** Elle ne pouvait pas se concentrer. **7.** Elle ne voulait pas accepter l'aide de son mari.

4 1. Non, je n'ai pas fait le ménage. **2.** Non, je n'ai pas regardé la télévision. **3.** Non, je n'ai pas lu. **4.** Non, je ne me suis pas promené. **5.** Non, je ne suis pas allé au cinéma. **6.** Non, je ne me suis pas entraîné pour le marathon.

5 1. Il ne veut pas sortir ce soir. **2.** Je n'aime pas danser le rock. **3.** Elle ne veut pas partir en avion. **4.** Vous n'allez pas rentrer en autostop. **5.** Je ne pense pas rester à la maison. **6.** Ils ne peuvent pas rester jusqu'à dimanche.

B *Ne… rien, rien ne …, ne … personne, personne ne …*

6 1. Rien ne s'est passé. **2.** On n'a rien compris. **3.** Il n'a rien acheté. **4.** Tu n'as croisé personne. **5.** Elle n'a rien dit. **6.** Rien n'est gratuit. **7.** Personne n'est venu avec moi. **8.** Vous n'avez entendu personne ? **9.** Nous n'avons aperçu personne hier.

7 1. Je ne vois personne. **2.** Personne ne nous connaît. **3.** Personne ne m'invite. **4.** On ne reconnaît personne. **5.** Personne ne m'écoute. **6.** Nous ne détestons personne. **7.** Vous ne recevez personne. **8.** Ils ne respectent personne. **9.** Personne ne t'observe.

8 1. *Non, je n'ai rien photographié.* **2.** Non, je ne suis venu avec personne. **3.** Non, rien ne m'a déçu. **4.** Non, je n'ai rien acheté à la boutique. **5.** Non, rien ne m'a choqué. **6.** Non, je n'ai rien ressenti. **7.** Non, personne ne m'accompagnait. **8.** Non, je n'ai discuté avec personne. **9.** Non, personne ne m'a dérangé.

9 1. il n'y a personne **2.** Il y a quelque chose **3.** il n'y a rien **4.** il y a quelqu'un **5.** Il y a quelque chose **6.** il n'y a rien **7.** il y a quelqu'un

10 1. Il ne s'intéresse à rien. **2.** Personne ne l'admire. **3.** Il ne parle à personne. **4.** Rien ne lui plaît. **5.** Il ne comprend rien. **6.** Personne ne le trouve sympathique. **7.** Rien ne le rend heureux.

C *Ne … jamais, ne … plus, ne … pas encore*

11 1. *Il n'écoute jamais* **2.** Il n'arrive jamais **3.** Il n'a jamais **4.** Il n'est jamais **5.** Il ne prend jamais **6.** Il ne discute jamais **7.** Il n'accepte jamais

12 1. il n'a plus **2.** il ne fait plus **3.** il n'est plus **4.** il ne travaille plus **5.** il n'a plus

13 1. Il n'a pas encore voté. **2.** Elle n'a pas encore travaillé. **3.** Je ne gagne pas encore d'argent.

4. Nous n'avons pas encore de voiture. **5.** Elles n'ont pas encore d'appartement. **6.** Tu n'es pas encore sorti en discothèque. **7.** Nous n'avons pas encore de téléphone portable. **8.** Il n'a pas encore d'enfants.

14 **1.** elle ne respecte jamais/pas **2.** je ne veux plus/pas **3.** elle ne répond jamais/pas **4.** je n'ai pas encore **5.** On n'attend plus **6.** On ne connaît pas encore **7.** on ne sera jamais/pas **8.** On ne sait jamais **9.** madame Bigard n'a pas encore répondu

BILAN

❶ **1.** À personne. **2.** Non, pas encore. **3.** Non, rien. **4.** Non, plus jamais. **5.** Non, rien. **6.** Non, pas encore. **7.** Non, personne.

❷ 🎧 12 **1.** On essaie de progresser.
2. On n'a pas appris le russe.
3. Ils ont déjà trouvé un stage.
4. Rien ne l'intéresse.
5. Tu n'as pas encore fini ta formation.
6. Vous ne demandez d'aide à personne.
7. Personne ne soutient sa candidature.
8. Je ne suis plus débutant.
9. Nous avons plus d'expérience.
10. Je n'ai jamais raté d'examen.

Affirmation : 1, 3, 9
Négation : 2, 4, 5, 6, 7, 8, 10

❸ **1.** je n'étais pas **2.** je n'étais avec personne **3.** personne ne m'a vu **4.** je n'ai pas pris **5.** je ne suis pas rentré **6.** il n'y avait personne **7.** ils n'ont rien entendu **8.** Je n'ai rien

❹ J'ai détesté ! **Rien n'est** vrai dans ce film. Le film **ne donne jamais** l'impression de vivre réellement une odyssée. Dès le début, **on n'attend rien** de fantastique. Les images **ne sont pas** puissantes. Ce style de cinéma **n'est plus apprécié** par toutes les générations. **Personne ne va aimer** les acteurs principaux. Ce film **ne va pas devenir** une référence de l'histoire du cinéma !

❺ – Tu sais, j'ai un copain qui voyage sans argent !
– Ce **n'est pas** possible ! Comment il fait ?
– Il va dans un port et il prend le premier bateau qui part. Il **ne sait pas/jamais** à l'avance où il va. Afrique, Amérique, Asie...
– Sur le bateau, il **ne fait rien** ?
– Si, il doit travailler. Mais ce **n'est pas/jamais** très difficile. Généralement, il fait la cuisine ou le ménage.
– Et après ?
– Quand il arrive dans un pays qui lui plaît, il débarque. Il **ne connaît personne**, mais après 1 h, il rencontre des gens. Je **ne sais pas** comment il fait !
– Tu **ne lui as pas/jamais/pas encore** demandé ?
– Si, mais il **ne m'a pas/rien/jamais** dit. C'est son secret !

CHAPITRE

6 L'article

A Les articles définis, indéfinis et partitifs

1 **1.** des **2.** le **3.** Des **4.** une **5.** la **6.** l' **7.** un **8.** la **9.** l' **10.** les **11.** des

2 **1.** *de la* – au **2.** des – à la **3.** de l' – à l' **4.** du – au **5.** De l' – à l' **6.** de l' – à l' **7.** de l' – à l' **8.** de la – aux

3 **1.** la **2.** un **3.** les **4.** Le **5.** une **6.** des **7.** la **8.** des **9.** la **10.** les **11.** la **12.** les **13.** les **14.** les **15.** la

4 **1.** *Du* – à la **2.** De la – à la **3.** De l' – à la **4.** De l' – à l' **5.** Du – au **6.** De l' – à l' **7.** Du – au **8.** Des – aux **9.** Du – au

5 **1.** le **2.** les **3.** le **4.** des **5.** des **6.** une **7.** au **8.** un **9.** au **10.** un **11.** du

6 **1.** Pour faire une pizza, il faut *de la farine*, de l'eau, du sel, du poivre, du fromage. **2.** Pour faire un livre, il faut du papier, de l'encre, de la colle, de l'inspiration, de la patience.

7 **1.** les **2.** du **3.** du **4.** Le **5.** une **6.** des **7.** du **8.** de la **9.** du **10.** de la **11.** une **12.** un **13.** du/un **14.** de l'

8 **1.** un **2.** des **3.** des **4.** une **5.** les **6.** de l' **7.** des **8.** les **9.** l' **10.** au **11.** Le **12.** un **13.** le **14.** un

9 **1.** *au* – une – du **2.** du – au **3.** au – les **4.** la – à l' **5.** au – des/les **6.** aux – de l' **7.** à la – la **8.** au – le

B L'absence d'article

10 **1.** Clémence n'a pas de travail. **2.** Alice ne fait pas de pâtisserie. **3.** Alice ne regarde pas de film. **4.** Clémence n'a pas de rendez-vous. **5.** Alice n'invite pas d'amis. **6.** Alice n'organise pas de grande fête. **7.** Clémence ne fait pas de sport. **8.** Alice n'a pas de voiture.

11 **1.** Non, ne mettez pas de sel. **2.** Non, n'ajoutez pas de sucre. **3.** Non, ne mangez pas de crème fraîche. **4.** Non, ne consommez pas d'œufs. **5.** Non, ne prenez pas de café. **6.** Non, ne mangez pas de frites. **7.** Non, n'ajoutez pas de beurre.

12 **1.** pas une **2.** pas de – pas le **3.** pas la – pas de **4.** pas des – pas de – pas de **5.** pas de – pas de – pas de **6.** pas le

13 **1.** de **2.** de **3.** de **4.** d' **5.** de **6.** de

14 **1.** un sac de pommes de terre **2.** un verre de jus de fruit **3.** une bouteille d'eau **4.** une boîte d'aspirine **5.** un paquet de mouchoirs **6.** un panier de légumes frais

15 1. Vous n'avez pas validé votre billet de train. **2.** Elle a perdu son chapeau de soleil et sa serviette de bain./Elle a perdu sa serviette de bain et son chapeau de soleil. **3.** On a une carte de crédit et des billets de banque./On a des billets de banque et une carte de crédit. **4.** Ils ont réservé des places de concert et une chambre d'hôtel./Ils ont réservé une chambre d'hôtel et des places de concert. **5.** Nous n'avons pas nos chaussures de marche mais un gros sac de voyage.

BILAN

❶ 1. de l' **2.** de **3.** de la/de **4.** de la/de **5.** de **6.** de l'/d' **7.** de

❷ 🎧13 **1.** Vous prenez la rue à droite.
2. C'est en face du supermarché.
3. Il y a beaucoup de voitures.
4. Tu vois une boulangerie ?
5. On cherche le parking.
6. Ce n'est pas cette sortie de garage.
7. On entend trop de bruit.
8. La pharmacie est fermée.
9. Attention aux gens qui traversent !
10. Regarde, il y a un restaurant là !

Article défini : **1, 5, 8**
Article indéfini : **4, 10**
Article défini contracté : **2, 9**
Pas d'article : **3, 6, 7**

❸ 1. un **2.** d' **3.** de **4.** de l' **5.** des **6.** des **7.** de **8.** d' **9.** une **10.** de **11.** de l' **12.** à la

❹ 1. au **2.** La **3.** un **4.** les **5.** d' **6.** le **7.** l' **8.** au **9.** d' **10.** les **11.** une **12.** du **13.** au **14.** au **15.** de

❺ Coucou, Tu vas bien ? Comment se sont passées **les** vacances ? Est-ce que tu es partie avec Léo ? Nous, nous sommes contents de notre séjour en Turquie ! Nous avons passé **une** semaine en Cappadoce. Nous avons vu **des** paysages magnifiques et rencontré **des** gens très gentils. On a fait **des** randonnées et **les** enfants ont fait **du** cheval. Nous avons dormi dans **des** hôtels pleins de charme, il n'y avait pas beaucoup **de** confort, mais c'était sympa. Nous avons apprécié la cuisine : **des** plats souvent simples mais bons. Ensuite, nous sommes allés **au** bord **de la** mer parce que **les** plages sont merveilleuses. Pour finir, nous sommes allés à Istanbul : c'est **une** ville magique ! À bientôt ! Bisous, Manon

Salut Manon,
Merci pour **le** récit de vos vacances ! Pour nous, **les** vacances cette année ont été courtes. Léo a fait **une** chute pendant **une** randonnée dans **les** Alpes. À très bientôt pour d'autres détails ! Coralie

A L'adjectif : le masculin et le féminin, le singulier et le pluriel

1 1. grand **2.** brun **3.** actif **4.** sérieux **5.** cultivé **6.** doux **7.** sentimental **8.** rousse **9.** sportive **10.** dynamique **11.** ambitieuse **12.** gentille **13.** sensible **14.** travailleuse

2 🎧14 **Ex. :** charmante

1. lourde	**6.** grise
2. content	**7.** japonaise
3. forte	**8.** mexicaine
4. froid	**9.** américain
5. parfait	**10.** blond

Masculin : **2, 4, 5, 9, 10**
Féminin : **1, 3, 6, 7, 8**

3 1. italienne – célèbre **2.** grecque – fraîche **3.** crus – japonaise **4.** français – connus **5.** espagnole – froide

4 1. *nouveaux* – beaux – originaux **2.** régionaux **3.** municipales **4.** nationaux **5.** heureux – local

B La place de l'adjectif

5 1. *sympathique* **2.** petite **3.** ronde **4.** bleus **5.** blonds **6.** bruns **7.** bleus **8.** carré **9.** gros

6 1. Les montagnes russes **2.** Le château hanté **3.** La grande roue **4.** La forêt enchantée **5.** La rivière sauvage **6.** Le petit train **7.** Les manèges rapides

7 1. Il se trouve au quatrième étage. **2.** C'est la dernière porte à droite. **3.** Il y a une petite cuisine. **4.** Il y a trois jolies chambres. **5.** Le grand salon est bien décoré. **6.** Il est situé dans un beau quartier. **7.** C'est un appartement idéal pour une grande famille.

8 1. un manteau noir **2.** la grande porte grise **3.** ton premier bal **4.** une robe blanche **5.** un très bel homme **6.** le nouvel album **7.** le deuxième meuble blanc **8.** ce petit légume vert **9.** ces gros légumes rouges

9 1. d. *deux vieilles poupées* **2.** a. un vieux train électrique **3.** b. un vieil ours en peluche **4.** c. une vieille balançoire **5.** h. trois beaux tableaux **6.** g. une belle lampe **7.** e. un beau tapis **8.** f. un bel accordéon

10 1. vieux **2.** nouvelle **3.** beaux **4.** vieux **5.** nouvel **6.** bel **7.** belle

BILAN

❶ Myriam : courageuse, cultivée, distraite, douce **Arnaud :** bavard, blond, dur, naturel **Farid et Soraya :** actifs, discrets, géniaux, bruns **Magali et Rose :** grandes, nerveuses, souriantes, marseillaises

2 1. belle – ~~patiente~~ – nouvelle 2. heureux – nerveux – ~~agréables~~ 3. naïve – ~~jolie~~ – sportive 4. bleue – verte – ~~rouge~~ 5. danoise – ~~malienne~~ – mexicaine 6. forts – épicés – ~~mauvais~~

3 1. une grosse voiture américaine 2. cinq vieux bâtiments originaux 3. des petits chemins tranquilles 4. une jolie maison bleue 5. dix bonnes soupes chinoises 6. une première découverte fascinante

4 1. trois belles princesses blondes 2. trois jeunes garçons sympathiques 3. deux sœurs jalouses 4. une belle-mère autoritaire 5. une vieille tante 6. dix jolis oiseaux multicolores 7. quatre petits chatons gris 8. deux grands chevaux blancs 9. un château féérique – une belle vie

5 **La critique a aimé** – Le **premier** film de Jean-Paul Baron est une **vraie** réussite. Un **bon** scénario, des dialogues **amusants**, une **belle** musique, un rythme **rapide**, des acteurs **exceptionnels** : le cinéma **français** comme on l'aime !
La critique a détesté – Un film qui montre un étudiant **étranger** dans une école **religieuse** en train de peindre une pomme **verte** posée sur une assiette **ronde** devant un verre **cassé**. Ce film appartient-il vraiment au **septième** art ? C'est la question que pose le **dernier** film du **jeune** réalisateur Antoine Richard.

6 Chocomixe, l'entreprise **idéale pour notre région** ? La **petite** entreprise de chocolats **fins** Chocomixe a inauguré hier son **nouvel** établissement et a présenté ses **dernières** créations. Cette entreprise **imaginative**, **bel** exemple de dynamisme, a déjà créé de **nombreux** emplois. Cette implantation va avoir des conséquences **positives** sur notre économie **régionale**. Les élus **locaux** ont remercié la direction de Chocomixe de cette **belle** initiative.

CHAPITRE

8 La comparaison

A Le comparatif

1 1. Caroline est plus grande que sa mère. 2. Rémi est plus jeune que son frère. 3. Mishal est aussi sportif que son cousin. 4. Charlotte est moins riche qu'Édouard. 5. Lucas est moins gourmand que Stéphane. 6. Moussa est aussi cultivé qu'Alice. 7. Antoine est moins bavard qu'Éric.

2 1. aussi sensibles qu'avant 2. plus courageux qu'aujourd'hui 3. moins travailleurs qu'avant 4. plus difficile que la mienne 5. plus égoïstes 6. moins timides 7. plus libres

3 🔊 15 **Ex. :** Il est *plus* pratique *que* le bus mais *moins* rapide.
1. Elle est **plus** confortable **que** la moto mais **moins** rapide en ville.
2. Je suis **moins** libre **qu'**à pied, mais je vais un peu **plus** vite.
3. Je vais **plus** vite **qu'**avec la voiture, mais c'est **plus** dangereux.
4. Il est **plus** fatigant **que** la moto mais **moins** polluant.
5. Je peux voir la ville et il coûte **moins** cher **que** le taxi.
6. Il est **plus** rapide **que** les autres transports mais **plus** polluant.

1. la voiture 2. les rollers 3. la moto 4. le vélo 5. le bus 6. l'avion

4 1. On travaille plus tard qu'il y a trois ans. 2. On reste plus longtemps au travail qu'avant. 3. On déjeunait moins vite que maintenant. 4. On paie moins cher pour les transports qu'avant/qu'avant pour les transports. 5. On se réunit plus souvent que l'année dernière. 6. On communiquait moins facilement que maintenant.

5 1. meilleurs 2. pire 3. plus mauvaise 4. meilleure 5. meilleures 6. pires 7. plus mauvais

6 1. mieux 2. mieux 3. meilleur 4. meilleurs 5. mieux 6. meilleure

7 🔊 16 **Ex. :** Il cuisine mieux que toi.
1. Ses repas sont meilleurs qu'avant.
2. L'ambiance de ce bar est meilleure.
3. Les produits frais sont meilleurs que les surgelés.
4. Elle réussit mieux ses plats maintenant.
5. Le service de ce restaurant est meilleur.
6. Les recettes données sur ce site sont meilleures.
7. Ce chef explique mieux comment faire le plat.
8. Cette critique est meilleure que les autres.
9. On mange mieux maintenant.
10. Nous aimons mieux la tarte aux pommes.

mieux : 4, 7, 9, 10
meilleur(e)(s) : 1, 2, 3, 5, 6, 8

8 1. Son stylo bleu écrit mieux que le noir. 2. Votre voiture roule aussi bien qu'avant. 3. Ces lunettes te vont mieux que les autres. 4. Mon téléphone portable fonctionne mieux chez moi qu'à l'école. 5. Ces vieux couteaux coupent aussi bien que la machine. 6. Ma télévision marche moins bien qu'avant.

9 1. Charles organise autant de fêtes que Jules. 2. Emmanuel prend moins de cours de tennis que Xavier. 3. Corinne envoie autant de SMS que Daryan. 4. Charlotte écoute plus de musique que Mila. 5. Magali lit plus de romans que Jade. 6. Jeanne achète moins de jeux vidéo que son frère.

10 1. plus de 2. plus de 3. moins de 4. plus d'
5. autant de 6. autant de

11 1. plus d' 2. plus de 3. plus de 4. moins d'
5. moins de 6. moins d' 7. plus de

12 1. le 2. les 3. la 4. aux 5. à la 6. des

13 1. le même 2. la même 3. les mêmes 4. au
même 5. à la même 6. le même 7. au même

14 1. moins qu'avant 2. plus que nous 3. moins
que ma cousine 4. plus qu'avant 5. moins que le
week-end 6. plus qu'à la maison 7. plus que nous
8. moins que moi

15 1. On a plus apprécié l'exposition que la
conférence. 2. J'ai autant aimé son deuxième
roman que son premier. 3. Il a moins plu ce mois-
ci que le mois dernier. 4. Il a autant travaillé avec
son stagiaire qu'avec ses collègues. 5. Je me suis
plus reposé ce week-end que le week-end dernier.
6. Elles ont autant peint que dans leur jeunesse.

B Le superlatif

16 1. le regard le plus séduisant. 2. les cheveux
les plus naturels. 3. la peau la plus douce. 4. les
mains les plus fines. 5. la silhouette la plus élégante.
6. les dents les plus blanches.

17 1. L'Amazonie est la plus grande forêt/la forêt la
plus grande de la Terre. 2. La Sibérie est l'endroit le
moins peuplé de la Russie. 3. Le Nil est le plus long
fleuve/le fleuve le plus long de l'Afrique/d'Afrique.
4. L'Antarctique est la région la moins visitée du
monde/la région du monde la moins visitée. 5. Los
Angeles est la ville la plus cosmopolite des États-
Unis. 6. L'Everest est la plus haute montagne/la
montagne la plus haute de la planète.

18 1. le meilleur – du 2. les meilleures – de la
3. les meilleures – de l' 4. du meilleur – de l' 5. les
meilleurs – de la

19 1. le meilleur 2. le mieux 3. les meilleures 4. les
meilleurs 5. le mieux 6. la meilleure

20 1. Il a traversé la région la plus isolée du
monde/la région du monde la plus isolée. 2. Il
a vécu dans les montagnes les plus sauvages.
3. Il s'est arrêté dans les zones les plus dangereuses.
4. Il a voyagé sur les mers les moins calmes. 5. Il a
dormi dans les endroits les moins accueillants. 6. Il a
pris les risques les plus fous.

BILAN

❶ 1. Les voyages en bateau prennent **plus de**
temps qu'en avion. 2. En moto, on a **autant de**
liberté qu'en voiture. 3. Dans un bateau, on dort
mieux que dans une voiture. 4. Entre le bus et le
car, lequel coûte **le moins cher** ? 5. Sur un bateau,
la nourriture est **meilleure que** dans un train. 6. La
moto est **moins confortable que** la voiture. 7. Une
voiture transporte **moins de passagers qu'**un train.
8. La moto va **aussi vite que** la voiture, il n'y a pas de
différence. 9. De tous les moyens de transport, c'est
le vélo qui est **le moins** polluant.

❷ 1. moins de 2. plus d' 3. plus de 4. moins 5. moins
6. plus 7. le plus 8. mieux 9. plus de 10. autant de
11. plus de 12. meilleur

❸ 1. plus clair que le mien 2. plus lumineux que
celui d'avant 3. moins de soleil que chez toi 4. le
plus élevé 5. mieux situé que le mien 6. le plus
central de la ville 7. plus de bruit que chez toi 8. la
même chose 9. autant de commerces 10. autant
de choix

❹ Vêtu et Costuma ont **autant d'**employés. –
Costuma a le chiffre d'affaires **le moins** élevé. – Les
produits de Costuma sont de **meilleure** qualité. –
Les deux entreprises sont **aussi** dynamiques. –
Costuma est l'entreprise **la plus** récente. – Vêtu
a **plus** d'usines en France **que** Costuma. – C'est
l'entreprise Vêtu qui propose **le plus de** produits.

❺ Pistes : Il y a **plus de** pistes faciles ? – Il y a
moins de pistes faciles ? **Installations** : Moins
d'installations sont en mauvais état ? – **Plus**
d'installations sont en mauvais état ? **Prix** : À votre
avis, la station est **la moins** chère de la région ? –
À votre avis, la station est **la plus** chère de la
région ? **Fréquentation** : Les touristes ne sont pas
aussi nombreux qu'avant ? – Les touristes sont
plus nombreux qu'avant ? **Sorties** : Le soir, vous
sortez **plus qu'**avant ? – Le soir, vous sortez **autant
qu'**avant ? **Évolution** : Qu'est-ce qui est **le moins
bien** ? Avant ou maintenant ? – Qu'est-ce qui est **le
mieux** ? Avant ou maintenant ?

CHAPITRE
9 Les adjectifs et les pronoms démonstratifs et possessifs

A Les adjectifs démonstratifs et possessifs

1 1. ce 2. cet 3. Ces 4. cet 5. cette 6. Cet 7. ce
8. cette

2 1. mon 2. mon 3. nos 4. mes 5. ma 6. son 7. mes
8. notre 9. notre 10. nos 11. leurs 12. mes 13. mon
14. notre

3 1. Ces – leurs 2. Cet – ton/votre 3. Ces – ses
4. Cette – sa 5. Ces – leurs 6. Cette – mon 7. Ce –
mon

4 (17) **Ex. :** J'aime bien cet écrivain.

1. Tu connais cette actrice ?

2. Je regarde toujours ces joueurs de tennis.

3. J'aime cette peintre.

4. J'écoute très souvent ce chanteur.

5. Tu as déjà vu ces danseurs ?

6. Eva Bern, je connais très bien cette photographe.

7. J'adore cette réalisatrice.

8. Tu connais ce sculpteur ?

1. ses **2.** Leur **3.** Ses **4.** ses **5.** leurs **6.** sa **7.** ses
8. ses

B Les pronoms démonstratifs

5 **1.** *d* **2.** b **3.** c **4.** a **5.** a **6.** a **7.** c **8.** d **9.** b

6 (18) **Ex. :** Je prends cette veste.

1. Je prends ce pull.

2. Je prends ces chaussures.

3. Je prends ce manteau.

4. Je prends ces gants.

5. Je prends ce foulard.

6. Je prends ces lunettes.

7. Je prends cette robe.

8. Je prends ces bracelets.

9. Je prends ces boucles d'oreille.

10. Je prends cette chemise.

Je prends celui-là : **1, 3, 5**
Je prends celle-là : **7, 10**
Je prends ceux-là : **4, 8**
Je prends celles-là : **2, 6, 9**

7 **1.** celles **2.** ceux **3.** celui **4.** ceux **5.** celle **6.** celles

8 **1.** *c* **2.** e **3.** a **4.** f **5.** b **6.** g **7.** d

9 **1.** celles **2.** ceux **3.** celui **4.** celle **5.** celle **6.** celui

10 **1.** celles **2.** ceux **3.** celles **4.** Celui **5.** Celle
6. ceux

11 **1.** celle **2.** ceux **3.** Celle – celle **4.** Celui **5.** Celui

C Les pronoms possessifs

12 **1.** *h* **2.** e **3.** d **4.** g **5.** b **6.** a **7.** c **8.** f

13 (19) **Ex. :** Voilà la tienne.

1. Voilà les leurs !

2. Voilà la leur !

3. Voilà les nôtres !

4. Voilà le sien !

5. Voilà la mienne !

6. Voilà le vôtre !

7. Voilà la sienne !

8. Voilà le tien !

9. Voilà les siennes !

10. Voilà les tiens !

Masculin singulier : **4, 6, 8**
Féminin singulier : **2, 5, 7**
Masculin pluriel : **1, 3, 10**
Féminin pluriel : **1, 3, 9**

14 **1.** Le mien **2.** le mien **3.** les miennes **4.** La mienne
5. La mienne **6.** les miens

15 **1.** le vôtre **2.** les siennes **3.** la leur **4.** les tiens
5. le mien **6.** la sienne **7.** les leurs

BILAN

1 **1.** nos **2.** celui **3.** ton **4.** le mien **5.** ma **6.** la mienne
7. ma **8.** mes **9.** les miennes **10.** mon **11.** celle
12. notre

2 **1.** ces **2.** les tiennes **3.** les miennes **4.** celles
5. cette **6.** celle **7.** ce **8.** le tien **9.** celui **10.** le mien
11. ces/vos **12.** ce/votre

3 **1.** cette/votre **2.** la mienne **3.** la vôtre **4.** celui
5. cette **6.** la vôtre **7.** vos

4 **Barbara** Grâce à Erasmus, j'ai fait **mon** stage de formation en Angleterre, une destination surprenante pour **mes** études de cuisine ! **Julie** Ce stage m'intéresse ! Tu as fait comment ? **Tes** conseils me seront utiles. **Barbara** Choisis d'abord **ton** centre de formation. J'ai choisi **le mien** avec l'aide de **ma** directrice. **Julie** **La mienne** est très sympa aussi, je vais lui demander, merci !

5 **UlyssePro** Les données de **mon** ordinateur, je les sauvegarde sur un disque dur externe, mais **le mien** ne marche plus. Je peux emprunter **celui** de quelqu'un d'autre ? **Infoservice** Normalement oui. Vérifiez que **celui-là** est compatible avec **le vôtre**.
PC78 On doit souvent faire des photocopies. **Notre** imprimante ne fonctionne pas bien. **Infoservice** Mettez **vos** documents à imprimer sur **votre** clé USB, allez dans un cyber café et demandez **vos** copies.
DannyLou Mon téléphone portable ne reçoit pas tous les appels. **Infoservice** J'avais le même problème avec **le mien**. Alors je l'ai remplacé et **celui** que j'ai maintenant ne pose pas de problème. Demande à quelqu'un de te prêter **le sien** pour vérifier.

CHAPITRE

10 L'expression du temps

A Situer dans le temps

1 **1.** En – Le **2.** À – le **3.** en **4.** au – en – au – en – en – en

2 **1.** Ø **2.** le **3.** le **4.** cette **5.** Ø **6.** Ø **7.** Le **8.** ce

3 (20) **Ex. :** Ce soir, nous allons au cinéma.

1. Le dimanche, elle se lève à 9 heures.

2. Mercredi, il va aller au travail plus tard.

3. Le soir, nous regardons la télévision.

4. Lundi dernier, j'ai fait des achats.

5. Mes amis partent en Italie ce week-end.

6. Tu as rendez-vous chez le médecin cet après-midi.

7. Ce matin, mon assistante est absente.

8. La boulangerie est fermée le lundi.

9. Vous jouez au tennis le samedi.

10. L'après-midi, on se repose.

Moment : **2, 4, 5, 6, 7**
Habitude : **1, 3, 8, 9, 10**

4 1. à partir du – jusqu'au **2.** à partir de – jusqu'à **3.** jusqu'au **4.** à partir de **5.** à partir de – jusqu'à **6.** jusqu'aux

5 1. Vous pourrez voir le directeur à **partir de** 10 heures. **2.** Ils partent à la campagne **jusqu'à** dimanche soir. **3.** Nous sommes absents **jusqu'au** 5 mars. **4.** Vous pourrez nous appeler à **partir du** 20 juin. **5.** Elles ont vécu à l'étranger **jusqu'en** 2018.

6 1. de – à **2.** de – à **3.** du – au – de – à **4.** du – au **5.** de – à **6.** de – à

7 1. il y a **2.** il y a **3.** dans **4.** dans **5.** il y a **6.** dans

8 🎧 21 **Ex. :** On va se revoir dans quelques mois.

1. J'ai vu ce spectacle il y a deux semaines.

2. Je te rappelle dans cinq minutes.

3. Le film a commencé il y a une demi-heure.

4. Je quitte le travail dans deux heures.

5. J'ai reçu un mél des enfants il y a une semaine.

6. Léo m'a appelée il y a un mois.

7. Ils vont partir à l'étranger dans trois mois.

8. Le magasin a fermé il y a un quart d'heure.

9. La banque va ouvrir dans 10 minutes.

10. On a envoyé les lettres il y a deux mois.

Action future : **2, 4, 7, 9**
Action passée : **1, 3, 5, 6, 8, 10**

9 1. Elle n'est pas allée au cinéma depuis longtemps. **2.** Vous n'avez rien fait depuis ce matin. **3.** On n'a rencontré personne depuis deux heures. **4.** On n'est pas sortis depuis une semaine. **5.** Nous n'avons rien mangé depuis hier soir.

10 1. Depuis **2.** depuis – il y a **3.** il y a – Depuis **4.** Depuis – il y a **5.** il y a – depuis

11 1. pendant **2.** pendant **3.** en **4.** pendant **5.** en **6.** pendant

12 1. ~~pendant~~/pour **2.** pendant/~~pour~~ **3.** pendant/~~pour~~ **4.** pendant/~~pour~~ **5.** pendant/~~pour~~ **6.** ~~pendant~~/pour

13 🎧 22 **Ex. :** Je me prépare en trente minutes.

1. Elle dort pendant six heures seulement.

2. On loue une petite voiture pour une semaine.

3. Il me prête son ordinateur pour trois jours.

4. Elles restent sous la douche pendant une demi-heure.

5. Vous allumez la télévision pour toute la journée.

6. Nous allons au supermarché en cinq minutes.

7. Tu es dans les transports pendant plus d'une heure.

8. Elle range sa chambre en deux minutes.

9. Vous avez couru pendant un quart d'heure.

10. Je sors pour une petite heure.

Durée réelle : **1, 4, 7, 9**
Durée prévue : **2, 3, 5, 10**
Durée nécessaire : **6, 8**

14 1. il y a **2.** pour **3.** pour **4.** il y a **5.** pour **6.** pour

B Les questions sur le moment et la durée

15 1. c **2.** a **3.** g **4.** b **5.** f **6.** e **7.** d

16 1. Combien de temps est-ce que tu mets pour venir ici ? **2.** Depuis combien de temps est-ce que tu travailles dans cette entreprise ? **3.** Pendant combien de temps est-ce que tu vas rester à Rome ? **4.** Il y a combien de temps que tu as commencé ? **5.** Pour combien de temps tu pars à New York ? **6.** En combien de temps vous allez à la gare ?

17 1. Pour combien de temps est-ce qu'il part en voyage ? **2.** Pendant combien de temps est-ce qu'elle sera absente ? **3.** Dans combien de temps est-ce qu'ils prennent l'avion ? **4.** Combien de temps est-ce que dure le voyage ? **5.** Dans combien de temps est-ce qu'elles reviennent ? **6.** Pendant combien de temps est-ce que vous resterez à l'aéroport ? **7.** Depuis combien de temps est-ce que vous n'avez pas rendu visite à votre mère ?

BILAN

❶ 1. Depuis combien de temps **2.** En **3.** En **4.** À **5.** à **6.** à **7.** pendant **8.** pour/pendant **9.** pour/pendant **10.** dans

❷ 1. cette **2.** en **3.** le **4.** le **5.** de **6.** à **7.** l' **8.** pendant

❸ 1. il y a **2.** À partir du **3.** de **4.** à **5.** Le **6.** le **7.** jusqu'à **8.** Dans

❹ Chers amis, Notre fils Julien vient d'obtenir son diplôme d'ingénieur et nous organisons une soirée le samedi 19 mai à **partir** de 20 heures dans notre maison à La Rochelle. Nous ne nous sommes pas vus **depuis** très longtemps et nous serons heureux de vous revoir à cette occasion. Si vous venez en voiture, vous pouvez amener Paul ? Il a eu un accident **il y a** huit jours et il ne pourra pas conduire **pendant/pour** quatre semaines au moins. Si vous ne pouvez pas venir, vous pouvez nous téléphoner **ce/le soir**, à **partir de/à** 19 heures, ou **pendant** le week-end. Merci et à bientôt ! Michèle et Sébastien

5 SPORTS Tour du monde à la voile. Nous sommes sans nouvelles **depuis** quarante-huit heures de Marc Lemarain, un des participants de la course à la voile qui a commencé **il y a** une semaine à La Rochelle. **SPORTS** Tour de France. Les coureurs partent aujourd'hui. Ils prennent le départ cet après-midi à 14 heures. Pour rappel, **en** 1926, les participants ont fait 5 747 kilomètres **en** moins de deux semaines. **FAITS DIVERS** Disparition mystérieuse. La voiture du ministre de l'Éducation a disparu **il y a** environ une semaine. Il a participé à une réunion internationale **du** lundi **au** jeudi. C'est donc **pendant** cette période que sa voiture a disparu.

CHAPITRE

11 Les adverbes

A Le sens des adverbes

1 **1. Sur la manière** : Vous venez en bus. Vous venez à pied. **2. Sur le temps** : Vous êtes rentrés hier. Vous êtes rentrés avant. **3. Sur la fréquence** : Vous ne courez jamais. Vous courez rarement. **4. Sur l'intensité** : Vous lisez peu. Vous lisez beaucoup. **5. Sur la quantité** : Vous lui écrivez autant ? Vous lui écrivez moins ? **6. Sur le lieu** : Vous habitez loin ? Vous habitez là-bas ? **7. Sur le temps** : Vous faites quoi maintenant ? Vous faites quoi demain ?

2 🎧 23 **Ex.** : Ils sont passés hier.

1. Il fait trop froid !

2. Vous agissez mal !

3. Ils sont souvent absents !

4. Il semble peu attentif.

5. Vous êtes très aimable !

6. Vous allez partir loin ?

7. J'espère que vous ne partez pas longtemps.

8. Il faut vous lever tôt.

9. Vous marchez vite !

10. Je vois rarement mes voisins.

Manière : 2, 9
Temps : 7, 8
Fréquence : 3, 10
Lieu : 6
Quantité/intensité : 1, 4, 5

3 **1.** Léonard arrive **tard**. **2.** Audrey ne chante **jamais**. **3.** Gaétan réagit **rarement**. **4.** Baudouin habite **loin**. **5.** Victor joue **dehors**. **6.** Mathieu travaille **peu**. **7.** Léna est **là**.

4 **1.** aujourd'hui **2.** tôt **3.** hier **4.** très **5.** maintenant **6.** beaucoup

B Les adverbes en *-ment*

5 **1.** naïve – naïvement **2.** longue – longuement **3.** réelle – réellement **4.** complète – complètement **5.** douce – doucement **6.** passive – passivement **7.** malheureuse – malheureusement **8.** forte – fortement **9.** fraîche – fraîchement **10.** lente – lentement **11.** fière – fièrement

6 **1.** agressivement **2.** naturellement **3.** clairement **4.** sérieusement **5.** sèchement **6.** familièrement **7.** vivement

7 **1.** gentiment **2.** poliment **3.** gaiement **4.** passionnément **5.** modérément **6.** follement

8 **1.** intelligemment **2.** prudent **3.** bruyamment **4.** violent **5.** fréquemment **6.** récent **7.** évidemment **8.** différent

9 🎧 24 **Ex.** : Vous négociez **patiemment**.

1. Ils réagissent **violemment**.

2. Il s'oppose **bruyamment**.

3. Tu approuves **intelligemment**.

4. On prépare **suffisamment**.

5. Je collabore **fréquemment**.

6. Elles interviennent **constamment**.

7. Vous réussissez **brillamment**.

8. Vous avez commencé **récemment**.

C Utilisation et place des adverbes

10 **1.** beaucoup **2.** très **3.** trop **4.** très **5.** beaucoup **6.** trop

11 **1.** Ils ont une très bonne relation. **2.** On a fait ce travail assez rapidement. **3.** Vous êtes trop stressés. **4.** Nous nous habituons vite. **5.** Elle travaille rarement chez elle./Elle travaille chez elle rarement. **6.** Tu travailles vraiment trop.

12 **1.** J'ai déjà obtenu un rendez-vous avec le spécialiste. **2.** Les infirmières ont toujours été patientes. **3.** Elle n'a pas été blessée très gravement./Elle n'a pas été très gravement blessée. **4.** Vous avez rarement été malade. **5.** Le chirurgien vous a très bien opéré. **6.** On m'a très rapidement transporté aux urgences./On m'a transporté aux urgences très rapidement.

13 **1.** Nous avons eu trop chaud. **2.** Vous vous êtes peu arrêté(e)(s). **3.** J'ai vraiment aimé ces paysages. **4.** Tu marches très bien. **5.** On va vite arriver. **6.** Ils ont déjà fait une pause. **7.** Je prends de très longues vacances.

BILAN

1 **1.** hier **2.** Vraiment bien **3.** assez tôt **4.** tranquillement **5.** autrement **6.** assez **7.** trop **8.** très facilement **9.** absolument **10.** assez longtemps

❷ 1. lentement **2.** un peu **3.** trop **4.** plus **5.** vite **6.** bien **7.** attentivement **8.** peu **9.** bien

❸ L'équipe des enseignants est satisfaite ! Bilal travaille **bien**. Il progresse **principalement** en français, il participe **plus** que l'année dernière. Il est **très** attentif, mais pas **assez/très** rapide. Trimestre positif ! Esther est bavarde, **trop** bavarde ! C'est **parfois** un problème. Et elle ne travaille pas, c'est dommage ! Mais elle est dynamique, et elle peut **encore** progresser en gymnastique avant le championnat : elle a **réellement** des compétences.

❹ a. En silence. « Vous devez voir ce film **aujourd'hui** ! **Demain**, il sera **trop tard** ! » **b.** L'Afrique du Sud ! **Là-bas**, vous vivrez une expérience unique ! Vous verrez des paysages **totalement** protégés. Vous pourrez visiter le **très** impressionnant parc Kruger. **c.** Vous êtes **trop** stressé ? Vous dormez mal ? Prenez **vite** la vitamine BIANE et retrouvez **bientôt** la forme !

❺ a. Ne traversez **jamais** les voies, prenez le passage souterrain. **b.** Attention ! Vous devez **toujours** porter un casque avant d'entrer. **c.** Station **définitivement** fermée. **d.** Merci de ranger **correctement** les journaux et les magazines. **e.** Les plateaux doivent être déposés **ici**.

CHAPITRE

12 Les pronoms personnels compléments

A Les pronoms compléments d'objet directs et indirects

1 1. ma montre **2.** nos amis **3.** au dentiste **4.** à ta grand-mère. **5.** aux hommes politiques **6.** à sa mère

2 (25) **Ex.** : J'appelle mon ami ce soir.
1. Tu ne connais pas tes voisins ?
2. Nous annonçons la bonne nouvelle à nos collègues.
3. Pourquoi est-ce que tu ne réponds pas à Hervé ?
4. Vous appréciez votre directeur ?
5. J'envoie ce mél à mon père.
6. Ils ne disent pas toujours la vérité aux parents.
7. Vous prévenez Anne et Sophie ?
8. Tu téléphones à la responsable ?

1. les **2.** leur **3.** lui **4.** l' **5.** lui **6.** leur **7.** les **8.** lui

3 1. les **2.** les **3.** leur **4.** les **5.** leur **6.** les **7.** leur **8.** leur

4 1. l' **2.** me **3.** lui **4.** l' **5.** la **6.** m' **7.** le

B Le pronom *y*

5 1. Non, ils n'y habitent plus. **2.** Oui, elles y travaillent et elles y vivent./Oui, elles y vivent et elles y travaillent. **3.** Non, je n'y retournerai plus. **4.** Oui, on s'y arrête régulièrement. **5.** Oui, nous y allons ensemble. **6.** Oui, on y passe souvent les vacances.

6 1. je n'y vis pas **2.** Vous n'y restez pas **3.** ma sœur y est **4.** j'y passe **5.** Il y fait **6.** on y mange **7.** J'y ai

C Le pronom *en*

7 1. De l'eau, j'en bois chaque jour un litre./ j'en bois un litre chaque jour. **2.** Du sucre, il n'en mange pas beaucoup. **3.** De la salade, elle en prépare pour nous ce soir. **4.** Des gâteaux, on n'en achète pas souvent. **5.** Du sel, tu en mets trop. **6.** Du pain, elle n'en veut pas.

8 1. Des robes, tu en prends trois. **2.** Des chemises, on en prévoit une dizaine. **3.** Des sandales, elle en prépare trois paires. **4.** Des lunettes de soleil, nous en avons une paire. **5.** Des tee-shirts, vous en mettez beaucoup. **6.** De la crème solaire, il en achète un tube.

9 1. Non, on n'en a pas. **2.** Oui, nous en avons une. **3.** Non, on n'en a pas. **4.** Non, il n'y en a pas. **5.** Oui, il y en a un. **6.** Oui, il y en a une.

10 1. on en vient. **2.** elle en arrive. **3.** j'en reviens. **4.** j'en viens. **5.** j'en pars juste. **6.** Tu en ressors par là.

D Le pronom *en* ou les pronoms *le, la, l', les* ?

11 1. j'en **2.** en – ne les **3.** ne les – en **4.** j'en – je ne les **5.** le – en – le

12 1. J'en mets quelquefois. **2.** Je les cherche tout le temps. **3.** Oui, j'en ai une. **4.** Je les mets quand il pleut. **5.** Je n'en ai pas. **6.** Je la porte quand je vais à l'opéra. **7.** Je l'emporte toujours avec moi. **8.** Non, je n'en cherche pas. **9.** J'en achète un demain.

E La place des pronoms compléments

13 1. Je vous emmène au concert. **2.** On y retrouve des amis. **3.** Vous leur offrez les billets. **4.** Ils ne les acceptent pas. **5.** Ils en paient une partie. **6.** Vous leur dites au revoir.

14 1. ils n'en font pas **2.** je ne l'écoute pas **3.** je ne lui raconte pas **4.** on n'y va pas ensemble **5.** vous ne m'attendez pas **6.** nous ne leur écrivons pas

15 1. Je leur ai apporté une boîte de chocolats. **2.** Ils m'ont préparé des crêpes. **3.** Nous n'en avons pas laissé. **4.** Ils m'ont appelé un taxi. **5.** Je ne l'ai pas attendu longtemps. **6.** Je leur ai dit au revoir vers minuit.

BILAN

❶ **1.** Je voudrais le visiter. **2.** Tu penses aller le voir bientôt ? **3.** Je ne souhaite pas y aller seul. **4.** Tu veux le visiter avec mes copains ? **5.** Je ne veux pas vous déranger. **6.** Tu ne nous dérangeras pas du tout. **7.** On y va en voiture ? **8.** Oui, je viens te chercher demain matin.

❷ **1.** y **2.** y **3.** y **4.** y **5.** les **6.** en **7.** en **8.** en **9.** les **10.** y

❸ **1.** en **2.** le **3.** y **4.** t' **5.** en **6.** en **7.** les **8.** y

❹ **Bruno :** Mon chien, je vais **le** promener quatre fois par jour. Je **lui** parle comme à un ami, il **me** tient compagnie et il **me** suit partout. Grâce à lui, je me sens en sécurité.
Lucia : Nos oiseaux, nous aimons **les** regarder et nous aimons **les** entendre chanter. Bien sûr, nous ne **les** laissons pas en liberté dans la maison, nous **les** mettons dans une cage.
Suzanne : Notre passion, ce sont les poissons rouges. Nous **en** avons cinq, nous ne pouvons pas **leur** parler, mais nous adorons **les** regarder jouer ensemble, ça **nous** calme !

❺ On **les** prend quand on va mal. Il faut **les** ranger dans un endroit sûr et il ne faut pas **les** laisser près des enfants. Ce sont **les médicaments.**
C'est le médecin qui **l'**écrit. On **la** lit très attentivement, on s'**en** sert pour acheter les médicaments. C'est **l'ordonnance.**
On va **le** voir quand on a besoin d'une opération. On **le** rencontre généralement dans un hôpital. C'est **le chirurgien.**
On peut **leur** téléphoner le jour et la nuit, elles sont toujours ouvertes. Mais on ne doit pas **les** déranger pour rien. Ce sont **les urgences.**

CHAPITRE

13 L'impératif

A Les formes affirmative et négative

1 **1.** Écris la phrase. **2.** Faites comme l'exemple. **3.** Associe les mots. **4.** Transforme les phrases. **5.** Mettez les mots dans l'ordre. **6.** Répondez à la question. **7.** Souligne les mots. **8.** Coche la réponse correcte. **9.** Choisissez le verbe. **10.** Lisez la consigne deux fois. **11.** Écoute attentivement. **12.** Complétez le texte.

2 **1.** Sois toi-même. **2.** Pense à toi. **3.** Dis ce que tu penses. **4.** Faites du sport. **5.** Marche. **6.** Réfléchissez avant d'agir. **7.** Ne cherchez pas à plaire à tout le monde. **8.** Sachez refuser les invitations. **9.** Ne faites pas attention aux critiques.

3 **1.** Regardez **2.** Ne soyez pas **3.** accélérez **4.** n'allez pas **5.** Ralentissez **6.** Tournez **7.** N'oubliez pas **8.** Ne prenez pas **9.** arrêtez **10.** Respirez **11.** Soyez

B L'impératif des verbes pronominaux

4 🔊 26 **Ex. :** Assieds-toi !

1. Tenez-vous droit !	**6.** Levez-vous !
2. Ne t'arrête pas !	**7.** Soufflez !
3. Lève le bras gauche !	**8.** Continue !
4. Respirez !	**9.** Ne te baisse pas !
5. Ne vous allongez pas !	**10.** Couche-toi !

Verbe pronominal : 1, 2, 5, 6, 9, 10
Verbe non pronominal : 3, 4, 7, 8

5 **1.** Préparez-vous à une réunion difficile ! **2.** Décide-toi vite ! **3.** Habituez-vous à parler en public ! **4.** Ne vous inquiétez pas ! **5.** Intéressez-vous aux nouvelles propositions ! **6.** Ne te trompe pas de dossier ! **7.** Ne vous occupez pas des problèmes informatiques ! **8.** Assurons-nous que tout va bien !

6 **1.** Repose-toi un moment ! **2.** Ne vous disputez pas. **3.** Exprime-toi poliment ! **4.** Ne t'inquiète pas ! **5.** Ne vous mettez pas en colère ! **6.** Ne te dépêche pas ! **7.** Levez-vous **8.** Rase-toi **9.** Calme-toi

7 **1.** Ne vous asseyez pas ! **2.** Mets-toi ici ! **3.** Ne te baisse pas ! **4.** Ne vous dépêchez pas ! **5.** Allongez-vous ! **6.** Ne nous installons pas ici ! **7.** Ne t'écarte pas d'ici ! **8.** Approchez-vous ! **9.** Ne nous arrêtons pas là !

C L'impératif et les pronoms compléments

8 **1.** b **2.** d **3.** e **4.** c **5.** a **6.** g **7.** f

9 **1.** Fais-le deux fois par semaine ! – f Le ménage **2.** Ouvre-les chaque matin pour aérer ! – c Les fenêtres **3.** Promène-le le soir ! – d Le chien **4.** Ne leur donne pas trop à manger ! – g Aux poissons rouges **5.** Ne les arrose pas trop souvent ! – e Les plantes **6.** Dis-lui « bonjour » pour moi ! – a À la voisine

10 **1.** Vas-y mais n'y va pas trop tard ! **2.** Utilise-le mais ne l'utilise pas trop longtemps ! **3.** Manges-en mais n'en mange pas le soir ! **4.** Appelle-les mais ne les appelle pas pour rien ! **5.** Invite-les mais ne les invite pas tous les jours ! **6.** Prenez-la mais ne la prenez pas lundi prochain !

BILAN

❶ **1.** Parle **2.** Asseyez-vous **3.** Soyez **4.** Faites **5.** Va **6.** Reste **7.** Vas-y **8.** Inscrivez-vous **9.** Calme-toi **10.** Achète

❷ **1.** Non, lève-toi plus tôt ! **2.** Oui, inscrivez-vous vite ! **3.** Non, n'y va pas ! **4.** Non, ne vous baignez pas là ! **5.** N'en faites pas trop ! **6.** Achètes-en une ici !

❸ **1.** asseyons-nous **2.** mettons **3.** fais **4.** Mets-toi **5.** essaye/essaie **6.** N'aie pas peur ! **7.** Ne sois pas nerveux ! **8.** Donne-moi **9.** avance **10.** Ne les plie pas trop **11.** Continue **12.** n'écarte pas **13.** Garde-les **14.** allons-y

❹ **1.** Mettez la farine dans un grand bol. **2.** Cassez les œufs sur la farine. **3.** Versez le lait progressivement. **4.** Mélangez la pâte lentement. **5.** Ajoutez l'huile, le sucre et le sel. **6.** Laissez la pâte dans le bol (2 h environ). **7.** Faites les crêpes une à une. **8.** Choisissez une bonne confiture à étaler sur la crêpe.

❺ Ne jetez plus les déchets ! Triez-les ! Recyclez-les ! Ne mettez plus vos vieux vêtements à la poubelle ! Donnez-les à une association ! N'utilisez plus de sacs en plastique ! Achetez-vous des sacs en coton, par exemple ! N'ayez pas peur d'être différent ! Agissez ! N'hésitez pas ! Après, il sera trop tard !

CHAPITRE
14 Les pronoms relatifs
qui, *que* et *où*

A Les pronoms relatifs *qui* et *que*

1 1. que **2.** qui **3.** qu' **4.** que **5.** qui **6.** que **7.** qui

2 1. Je donne mon petit chien à une personne qui aime les animaux./Je donne à une personne qui aime les animaux mon petit chien. **2.** Nous vendons un aspirateur qui n'a jamais servi. **3.** Je vends une vieille radio qui fonctionne parfaitement. **4.** Nous cédons un lot de 50 timbres qui viennent d'Amérique du Sud. **5.** Je reprends les jouets d'enfants qui ne vous intéressent plus. **6.** On propose des objets qui changeront votre vieille décoration.

3 1. Voilà un fruit qui vient de la Martinique, qu'on doit éplucher et qui est jaune : c'est la banane. **2.** Voilà un fruit qui est rond, qui porte le nom d'une couleur, que les sportifs aiment beaucoup et qui contient de la vitamine C : c'est l'orange. **3.** Voilà un fruit qu'on trouve à la fin de l'été en Europe, qui est utilisé pour faire du vin et qu'on achète en grappes : c'est le raisin. **4.** Voilà un fruit qui peut être vert, jaune ou rouge et que les gens achètent régulièrement : c'est la pomme.

4 1. *qui* – que : bavarde **2.** qui – qui : généreuse **3.** qui – qui : impatiente **4.** qui – que : joyeuse **5.** qui – qui : timide **6.** qu' – qui : désagréable **7.** qui – qui : nerveuse

5 1. qui **2.** qu' **3.** qu' **4.** qu' **5.** que **6.** que **7.** qu' **8.** qui **9.** qui

B Le pronom relatif *où*

6 a. 1. Je cherche un quartier où il n'y a pas de bruit. **2.** Je déménagerai au moment où les prix baisseront. **3.** J'aime les nuits où on n'entend rien. **4.** Je rêve du jour où mes meubles seront en place. **5.** J'attends le moment où je m'installerai dans ma maison. **6.** J'irai là où tu voudras. **b.** *où* est complément de lieu : 1, 6 – *où* est complément de temps : 2, 3, 4, 5

7 a. 1, 4, 5, 7, 9 – **b.** 2, 3, 6, 8, 10

8 1. Bordeaux, c'est la ville où ils sont nés. **2.** La Normandie, c'est la région où elle va s'installer. **3.** 2019, c'est l'année où nous sommes arrivés ici. **4.** L'été, c'est la saison où les gens voyagent beaucoup. **5.** Juin, c'est la période où les étudiants passent leurs examens. **6.** La Laponie, c'est le pays où je n'aimerais pas aller en hiver. **7.** La Côte d'Ivoire, c'est le pays où je suis née. **8.** Le mercredi, c'est le jour où elle peut se reposer.

BILAN

❶ 🎧 27 **1.** Ils ont un travail qui les intéresse.
2. Ils ont un directeur que les employés aiment bien.
3. Ils ont un logement qu'ils ne paient pas trop cher.
4. Ils vivent dans une région où les températures sont idéales.
5. Ils ont une voiture qu'on n'entend pas.
6. Ils ont des magasins où les produits sont de bonne qualité.
7. Ils ont des amis qu'ils adorent.
8. Ils ont une vie qui les satisfait.
9. Ils ont une famille qui les aide.
10. Ils ont un avenir que je crois fantastique.

Qui : 1, 8, 9
Que/qu' : 2, 3, 5, 7, 10
Où : 4, 6

❷ **1.** où **2.** que **3.** qu' **4.** où **5.** que **6.** qui **7.** où **8.** qui **9.** qu' **10.** qui

❸ **1.** qui **2.** qui **3.** que **4.** que **5.** qui **6.** où **7.** qui **8.** qui

❹ **1.** a, A – b, C **2.** a, B – c, E **3.** d, D

❺ **Journaliste** : Vous avez aimé le film ?
Anne : Oui, c'est un film **qui** m'a beaucoup plu. J'ai surtout apprécié le personnage principal, c'est un acteur **que** j'adore.
Journaliste : Est-ce que vous vous souvenez de son dernier film ?
Anne : Oui, parfaitement, c'est une histoire **qui** se passe en Égypte.
Journaliste : Quelle est votre scène préférée ?
Anne : Le moment **où** le héros retrouve ses parents bien sûr !
Journaliste : Et qu'est-ce que vous pensez du festival de Cannes ?

Anne : C'est un événement formidable **où** le monde entier se retrouve et c'est bien !

Journaliste : Vous y venez souvent ?

Anne : Oui, tous les ans. C'est un moment **que** je ne voudrais pas manquer !

Journaliste : À votre avis, qui va gagner la Palme d'or cette année ?

Anne : Nous vivons une période **où** on parle beaucoup de violence, une période **où** il y a beaucoup d'insécurité. J'espère donc que la Palme reviendra à un film **qui** apportera de la légèreté et **qui** fera rêver.

6 Je suis un animal **qu'**on voit peu en Europe, **qui** pèse très lourd, **que** des chasseurs adorent et **qui** sait bien se défendre. Je suis ? *L'ours.*

Je suis un objet **qui** permet de communiquer, **qu'**on peut mettre dans sa poche et **où** on stocke les messages. Je suis ? *Le téléphone portable.*

Je suis un continent **où** on communique en 14 langues et **où** il fait froid au nord et chaud au sud. Je suis ? *L'Europe.*

Je suis une saison **où** il fait chaud en général dans l'hémisphère nord et **qui** dure trois mois. Je suis ? *L'été.*

CHAPITRE

15 La cause et la conséquence

A La cause

1 **1.** b. *Parce que j'ai perdu mon portable.* **2.** c. Parce que c'est amusant. **3.** e. **Parce qu'**on n'a pas faim. **4.** a. **Parce qu'**il y a du bruit. **5.** d. **Parce que** je ne sais pas répondre. **6.** g. **Parce qu'**il fait froid. **7.** f. **Parce qu'**ils ont l'air bizarre.

2 **1.** Parce qu'il est en panne. **2.** Parce que je prépare un examen. **3.** Parce que nous sommes malades. **4.** Parce que c'est la mode. **5.** Parce que mon lit est cassé.

3 **1.** Elles adorent marcher. Elles font des randonnées parce qu'elles adorent marcher. **2.** Il aime trop le confort. Il ne fait jamais de camping parce qu'il aime trop le confort. **3.** Elle a peur de l'eau. Elle ne veut pas se baigner parce qu'elle a peur de l'eau. **4.** Nous détestons la plage. Nous n'allons pas au bord de la mer parce que nous détestons la plage. **5.** Ils n'aiment pas le froid. Ils ne partent jamais en hiver parce qu'ils n'aiment pas le froid.

4 **1.** Comme son entreprise a fait un gros bénéfice, **2.** Comme il avait de bonnes relations avec ses collègues, **3.** Comme son patron était satisfait de

son travail, **4.** Comme leurs demandes ne sont pas satisfaites, **5.** Comme ils arrivent trop souvent en retard, **6.** Comme je suis embauché,

5 **1.** Il est triste parce qu'il a perdu son match. **2.** Comme elle n'a pas son permis de conduire, elle ne peut pas prendre la voiture. **3.** Comme il a réussi son examen, ses amis l'ont félicité. **4.** Elle a reçu la médaille parce qu'elle a gagné la compétition. **5.** On doit recommencer parce qu'on a raté le test. **6.** Comme vous ne vous êtes pas entraînés, ce n'est pas utile de vous inscrire.

6 **1.** à cause des **2.** à cause de l' **3.** à cause de la **4.** à cause du **5.** à cause de la **6.** à cause des **7.** À cause de **8.** à cause des **9.** à cause de

7 **1.** Grâce à l' **2.** grâce aux **3.** grâce au **4.** Grâce au **5.** Grâce à la **6.** Grâce au **7.** grâce à

8 🎧 28 **Ex. :** Je n'ai pas vu le feu rouge à cause du camion arrêté devant.

1. Vous êtes arrivé en retard à votre rendez-vous à cause de la circulation.

2. Grâce au chauffeur de taxi, nous n'avons pas raté notre avion.

3. Il n'a pas voulu sortir à cause de la pluie.

4. Je n'ai pas pu traverser la ville à cause des embouteillages.

5. La pollution va diminuer grâce au covoiturage.

6. Grâce à ta prudence, tu n'as pas beaucoup d'accidents.

7. Il est impossible de passer dans cette rue à cause des travaux.

8. Il y a moins d'accidents grâce à la limitation de vitesse.

9. Les conducteurs respectent mieux le code de la route grâce aux contrôles de police.

10. On s'est trompé de route à cause du brouillard.

Cause négative : 1, 3, 4, 7, 10
Cause positive : 2, 5, 6, 8, 9

9 **1.** grâce à ta sœur – grâce à elle **2.** à cause de leurs enfants – à cause d'eux **3.** grâce à nos amis – grâce à eux **4.** à cause de votre guide – à cause de lui/à cause d'elle **5.** à cause de son fils – à cause de lui **6.** grâce à sa famille – grâce à elle

B La conséquence

10 **1.** b **2.** f **3.** g **4.** a **5.** c **6.** d **7.** e

11 **1.** Elle a oublié ses clés, c'est pourquoi elle a sonné chez moi. **2.** Ils dormaient donc je les ai réveillés. **3.** Vous avez très mal dormi, c'est pourquoi vous vous êtes levés à midi. **4.** On a bu de l'eau polluée, alors on a été malades. **5.** Nous n'avons pas lu les panneaux donc nous nous sommes perdus. **6.** Tu n'avais pas d'espèces donc tu as payé avec ta carte de crédit.

12 **1.** C'est tellement drôle qu'elle rit beaucoup. **2.** Vous parlez tellement vite qu'on ne ne vous comprend pas. **3.** Nous sommes tellement stressés que nous tremblons. **4.** Ils sont tellement énervés qu'ils n'écoutent personne. **5.** Tu conduis tellement mal que tu deviens dangereux. **6.** Il crie tellement fort qu'il dérange ses voisins.

13 **1.** tellement de plages que **2.** tellement de plats différents que **3.** tellement d'activités que **4.** tellement d'aventures que **5.** tellement de sites historiques que

14 **1.** tellement **2.** tellement **3.** tellement **4.** tellement de **5.** tellement **6.** tellement d' **7.** tellement **8.** tellement de **9.** tellement de

15 **1.** Je travaille tellement que je vais avoir des problèmes de santé. **2.** Vous parlez tellement qu'on ne vous écoute plus. **3.** Nous dormons tellement que le temps nous manque. **4.** Il se moque tellement qu'il énerve ses amis. **5.** Elles mentent tellement que personne ne les croit. **6.** Tu te plains tellement que les gens perdent patience. **7.** Nina dépense tellement qu'elle n'a plus d'argent. **8.** Samir marche tellement qu'il doit acheter de nouvelles chaussures. **9.** Tu joues tellement que tu n'as plus le temps de travailler.

BILAN

1 (29) **1.** Je fais du sport parce que j'aime l'activité physique.

2. Nous ne marchons pas assez, c'est pourquoi nous ne sommes pas en forme.

3. On est tellement paresseux qu'on reste toujours à la maison.

4. Vous vous sentez bien grâce à la natation.

5. Comme tu ne t'entraînes pas beaucoup, tu ne progresses pas.

6. Ils adorent l'athlétisme alors ils courent beaucoup.

7. Vous avez arrêté le sport à cause d'un accident grave.

8. Elle n'a pas de voiture donc elle se déplace à pied ou à vélo.

9. Ils ont tellement de matches qu'ils ne se reposent pas souvent.

10. Comme je veux devenir champion, je participe à beaucoup de tournois.

1. Cause – **parce que** **2.** Conséquence – **c'est pourquoi** **3.** Conséquence – **tellement... qu'** **4.** Cause – **grâce à** **5.** Cause – **Comme**

6. Conséquence – **alors** **7.** Cause – **à cause d'** **8.** Conséquence – **donc** **9.** Conséquence – **tellement de... qu'** **10.** Cause – **Comme**

2 **1.** Comme sa valise était trop lourde, elle a payé un supplément. **2.** Il y avait tellement de monde que je n'ai pas retrouvé mes amis. **3.** Je n'ai pas eu de billet parce que le vol était complet. **4.** Le temps était tellement mauvais qu'on est partis avec quatre heures de retard. **5.** Comme l'avion n'était pas plein, vous avez pu changer de place. **6.** Les employés étaient en grève, c'est pourquoi j'ai annulé mon voyage.

3 – Quoi ? Tu as encore une nouvelle robe ?
– **Comme** il y avait des soldes, je n'ai pas pu résister. Et puis, **grâce** à mes heures supplémentaires du mois dernier, j'ai pu me faire un cadeau !
– Mais pourquoi une robe marron ?
– **Parce que** j'aime cette couleur et **parce que** c'est à la mode. Mais si tu ne veux pas sortir avec moi à **cause de** ma robe, je reste à la maison !
– Écoute, tu as **tellement de** vêtements que tu n'auras pas de mal à choisir ! Mais dépêche-toi **parce que** Pierre nous attend !

4 Brigitte BARDOT – Elle est née à Paris en 1934. Elle s'intéresse à la danse et **comme** elle a du talent, elle entre au conservatoire. Son père adore le cinéma et **grâce** à lui, elle tourne dans des petits films. Un jour, à 15 ans, elle pose pour des photos, **alors** elle commence à être connue. On lui propose un premier film en 1952 et elle est **tellement** curieuse qu'elle accepte. Après, elle fait d'autres films comme *Et Dieu créa la femme*, *Le Mépris*. Elle gagne **tellement** d'argent qu'elle achète une maison sur la Côte d'Azur. En plus du cinéma, elle défend les animaux, les phoques par exemple. **Grâce à elle**, des lois sont changées pour protéger les races animales.

5 – Salut Hugues ! Tu es en ligne ?
– Oui ! Salut Martin !
– Tu peux passer me prendre ce soir pour aller au match ? Tu comprends, **comme** ma voiture est chez le garagiste, je ne sais pas comment y aller.
– Entendu, mais je passe assez tôt **parce que** je dois aussi aller chercher Oscar.
– Ah bon ? Oscar nous accompagne ce soir ?
– Oui. **Comme** j'ai une place pour lui et **comme** il n'a pas annulé, je pense qu'il va venir.
– Comment tu as eu ce billet pour lui ?
– **Grâce à** mon frère. Il est malade et il ne peut pas venir, **donc** j'ai offert sa place à Oscar.

INDEX GRAMMATICAL

Les numéros renvoient aux chapitres.

INDEX DES OBJECTIFS FONCTIONNELS

Les numéros renvoient aux chapitres.

L'action

❯ Pour décrire :
- une situation 11
- une situation passée 2

❯ Pour demander une précision 4

❯ Pour dire ce que l'on fait 1, 12

❯ Pour donner :
- une consigne, un ordre, un conseil 6, 11, 13
- une explication 15
- une précision 6, 11, 14

❯ Pour donner un emploi du temps 10

❯ Pour exprimer :
- une habitude 1, 10
- une habitude du passé 2

❯ Pour exprimer la conséquence 15

❯ Pour faire :
- une promesse 3
- une suggestion 13

❯ Pour formuler :
- une interdiction 5
- une prévision, une action future 3
- un projet 3

❯ Pour informer sur :
- la date 10
- la durée 10
- le moment 10, 14

❯ Pour poser des questions 4

❯ Pour raconter :
- des événements 2, 10, 15
- une habitude 11
- un souvenir 2

❯ Pour refuser une proposition 5

Le lieu

❯ Pour décrire un lieu 7

❯ Pour demander une précision 4

❯ Pour désigner un lieu 12, 14

❯ Pour donner :
- des informations sur un lieu 12
- une précision 6, 11, 14

❯ Pour donner une information sur un lieu 4

Les choses

❯ Pour caractériser une chose 7, 9, 14

❯ Pour classer, comparer des choses 8, 9

❯ Pour demander une précision 4

❯ Pour désigner une chose 9, 12

❯ Pour donner une précision 6, 11, 14

❯ Pour énumérer des choses 6

❯ Pour exprimer un record 8

❯ Pour indiquer l'appartenance 9

❯ Pour informer sur une chose 1, 4

❯ Pour préciser une quantité 12

La personne

❯ Pour caractériser une personne 9, 14

❯ Pour classer, comparer des personnes 8, 9

❯ Pour décrire des comportements 1

❯ Pour demander une information,
une précision 4

❯ Pour désigner une personne 9, 12

❯ Pour donner :
- une opinion 5, 7
- une précision 6, 11, 14

❯ Pour exprimer :
- ses goûts 8
- un désaccord 5

❯ Pour faire le portrait d'une personne 7, 14

❯ Pour informer sur une personne 1

❯ Pour justifier un choix 15

Imprimé en Italie par L.E.G.O. S.p.A. PLANT Lavis
Dépôt légal : Novembre 2019 - Collection n° 23 - Édition 02
76/7322/7